ITALO CALVINO

1923-1985. Çağdaş İtalyan Edebiyatının en ilgi çekici adlarından biri olan Calvino, Küba'da, Havana yakınlarında Santiago de Las Vegas'ta doğdu. Çocukluğu ve ilk gençliği Ligürya kıyıları diye bilinen İtalyan Rivyerasında geçti. Savaş patladığında, genç yaştaydı ve gizli Komünist Partisine girerek direniş hareketine katıldı; savaş bitene dek partizanlarla birlikte savaştı. Ünlü İtalyan yazarı Elio Vittorini ile birlikte "Menabo" adlı bir edebiyat dergisi çıkardı. İlk romanı *"Il sentiero dei nidi di ragno"* dur. Partizan savaşı üzerine öykülerini *"Ultimo viene il corvo"* adlı kitabında derledi. *"I nostri antenati"* başlığı altında topladığı ünlü üçlemesi şu kitaplardan oluşur: *"Il visconte dimezzato", "Il barone rampante", "Il cavaliere inesistente"*.

1985 Eylülünde geçirdiği bir beyin kanaması sonucu Siena'da ölen Calvino'nun ölümünden sonra yayımlanan kitapları: *"Lezioni Americane", "Sotto il sole giarguaro", "La strada San Giovanni"* dir.

ITALO CALVINO' NUN BAŞLICA KİTAPLARI::

Il sentiero dei nidi di ragno
Ultimo viene il corvo
Il visconte dimezzato
L'entrata in guerra
Fiabe italiane
Ağaca Tüneyen Baron (Il barone rampante)
(Türkçesi: Aydın Emeç, E Yay., 1971; Can Yay., 1990)
I racconti
Varolmayan Şövalye (Icavaliere inesistente)
(Türkçesi: Gül Işık, Ada Yay., 1985)
Sandık Müşahidi (La giornata di una scrutatore)
(Türkçesi: Aydın Emeç, E Yay., 1974)
Ti con zero
Il castello dei destini incrociati
Bir Kış Günü Eğer Bir Yolcu (Se una notte d'inverno un viaggiatore)
(Türkçesi: Ülker İnce, Can Yay., 1990)
Una pietra sopra
Collezione di sabbia

ITALO CALVINO

GÖRÜNMEZ KENTLER

Türkçesi

Işıl Saatçıoğlu

ÇAĞDAŞ EDEBİYAT

2

Dizi no: 2

Görünmez Kentler
Özgün adı: *Le città invisibili*, 1972

İtalyanca aslından çeviren: *Işıl Saatçıoğlu*

Dizi Redaksiyon sorumlusu: *Zeynep Süreyya*
Dizi Kapak tasarımı ve sayfa düzeni: *Sinan Saraçoğlu*
Dizi Amblemi: *Ömer Erduran*

Kapak düzeni: *Mete Özgencil*

Birinci Basım: Kasım 1990
Baskı adedi: 3000

ISBN 975-14-0199-2

KTB 90.34.Y.0030.0254

Remzi Kitabevi A.Ş.
Selvili Mescit S. 3 34440 Cağaloğlu-Istanbul
Tlf: 522 7248 - 52 0583, Fax: 522 9055

Evrim Matbaacılık Ltd. Şti.
Selvili Mescit S. 3 34440 Cağaloğlu-Istanbul, 1990

GÖRÜNMEZ KENTLER

Sevgili Ergun'a

"Nerden geldi bunlar
cahil başıma (?)"

12 - 13 - 14 Nisan 92 günleri
için.

Kendi Labirentimizi kurabilecek-
miyiz acaba?

Sevgiler

[signature]

Çeviri üzerine

Görünmez Kentler, İtalyanca aslına çok yakın çevrildi ve de hiç kolay olmadı. Bunun birkaç temel nedeni var:

1) İtalyanların en güçlü anlatım araçları şiir. Düzyazıyı deneyen tüm yazarlar metafor'a büyük ağırlık veriyorlar. *Görünmez Kentler*'de sözcükler titizlikle seçilmiş ve çok yoğun. Nüansların hakkını vermek isteyen bir çeviri, insanı müthiş bir çaresizliğe itiyor. Her ince farklılığı, en az birkaç sözcükle çevirmek zorundasınız, yoksa yok olup gidiyor.

Calvino'nun çok zengin bir söz dağarcığı var: bu büyük sorun oldu; farklı bir kültürün, özellikle de 'kent' gibi nesnel bir imgenin, tüm betimsel ayrıntısını karşılayan ve bizim kültürümüzde karşılığı olmayan yığınla sözcük frenkçe verildi, ya da en az iki, üç sözcükle çevrildi. Bu da, zaten uzun olan cümleleri daha da uzun yaptı.

2) Calvino'nun ilgi adılları ve bağlaçlarla, çok yerde on, yirmi satıra kadar uzattığı cümlelerin hemen hiçbirini bölmedim. Amacım, labirentini, dışdünya-insan ilişkisinin zincirleme özelliği ile kuran Calvino'nun yöntemine ihanet etmemekti.

3) Özellikle dikkat ettiğim bir başka nokta, şiirsellikle yüklü sözcüklerin kalabalığına karşın, sonuçta, duygusallık dozu titiz hesaplarla ayarlanmış, spontanlıktan uzak, mesafeli bir yazıyı spontan ve şiirsel kılmamak oldu. Türkçe çevirinin, bu ölçülü ve bilinçli hüznü olabildiğince iyi verdiğine inanıyorum.

4) Calvino olasılıkları ve çeşitlenmeleri, dili kullanarak çoğaltmak istediğinden, ve/veya/ya da/ama'ları çok kullanıyor. Bu durum Türkçede estetik bir sorun yarattı. Ancak, burada da estetik kaygıları bir yana bırakıp ona sadık kalmayı yeğledim.

5) *Görünmez Kentler,* nesne-insan arasındaki iktidar kavgasını anlattığından, genelleştirici bir üslup benimsemiş: çok sık geçen cio/quello/cosa gibi işaret adılları Türkçede olan /olan şey/ olan kişi gibi tatsız bir anlatıma dönüştü.

6) Bir de eylem zamanlarının tutarsızlığı konusu var: Zamansal bir yabancılaşmayı, aktarmayı amaçladığından, birbirini izleyen iki cümle, bir süreklilik izlemeksizin -ama yazarın bilinçli seçimiyle-, bir zamandan ötekine atlıyor. Eylemi yüklenen kişi de, bir o kadar sık değişiyor: sen'den biz'e, veya genel bir üslup kullanırken birden sen'e geçişler oldukça çok; hiçbirini atlamadım, hepsini Türkçe metne taşıdım.

Calvino, İtalyan şiir geleneğine ve Latin gramer yapısına derinden bağlı bir düzyazı ustası. Ussallıktan uzakta gelişmiş İtalyan yazınıyla beslenmesine karşın, çağdaş poetikalara bağlanarak 'varolmayanı' ussallaştırmaya çalışan bir yazar. Yazısının bütün keyfi bu 'ussallıkta şiirsellik' formülünde gizli.

Bu zorlu kitabın ilk okumasını birlikte yaptığım, Floransalı hocam Dr. Luciano Parenti'ye değerli yardımları için teşekkür ediyorum.

Işıl Saatçıoğlu

İçindekiler

IX

I

Marco Polo yolculuklarında gördüğü kentleri kendisine anlatırken Kubilay Han'ın onun her dediğine inandığı söylenemez, ama kesin bir şey var, o da Tatar İmparatorunun genç Venedikliyi, diğer bütün ulak ve kâşiflerinden daha büyük bir merak ve dikkatle dinlemeyi sürdürdüğü. İmparatorların yaşamında bir an vardır: zapt ettiğimiz uçsuz bucaksız toprakların verdiği gurur duygusunu, bu diyarları tanımak ve kavramaktan yakında vazgeçeceğimizi bilmenin hüzün ve rahatlığını izleyen andır; bir duygu vardır: yağmurun ardından fillerin ve ocaklarda ağır ağır soğuyan güllük ağacı küllerinin yaydığı kokuyla birlikte akşam içimize çöküveren bir boşluk duygusudur; haritaların kızıl-sarı kavislerine, öyküler dokurcasına işlenmiş ırmakları ve dağları titreten, son düşman ordularının bir bozgundan diğerine yok oluşunu bildiren mektupları birbiri üstüne düren, değerli madenler, işlenmiş deri ve kaplumbağa kabuklarıyla ödedikleri vergiler karşılığında muzaffer ordularımızdan himaye dilenen adı sanı duyulmamış kralların mühründeki mumu söküp atan bir baş dönmesi vardır. O ana dek bize bir harikalar harikası gibi görünen imparatorluğun, 'son'suz ve 'biçim'siz bir yıkıntı olduğunu, çürümüşlüğünün asamızın kurtaramayacağı kadar kangrenleştiğini, düşman krallara karşı kazanılmış zaferlerin bizi onların ağır, uzun yıkımlarının mirasçısı kıldığını keşfettiğimiz bir umarsızlık anıdır bu. Kubilay Han, yal-

nız Marco Polo'nun anlattıklarında yıkılmaya mahkûm surların ve kulelerin ötesine geçiyor, akkarıncaların bile kemiremeyeceği kadar ince bir resmin telkâri çizgilerini yalnız orada seçebiliyordu.

Kentler ve anı 1

İnsan oradan yola çıkar üç gün hep doğuya giderse Diomira'da bulur kendisini. Kentin altmış gümüş kubbesi, bronzdan tanrı heykelleri, kalay kaplı yolları, kristal bir tiyatrosu, bir kulenin tepesinde her sabah öten altın bir horozu vardır. Daha önce hepsini başka kentlerde de gördüğünden, yolcu bu güzellikleri zaten tanır. Ama başkadır bu kent: günlerin kısaldığı bir eylül akşamı, lokanta kapılarında rengârenk lambalar hep birden yandığında, ve terasın birinden bir kadın: ooh! diye keyifle bağırırken bu kente gelen biri, o an, aynı akşamı daha önce de yaşadığını ve o kez mutlu olduğunu anımsayanları kıskanır.

Kentler ve anı 2

Yabanıl topraklarda uzun süre at koşturan insan bir kent arzular. Isidora'ya varır sonunda. Burada evlerin salyangoz kabuklarıyla kaplı helezoni merdivenleri vardır, en iyi dürbün ve keman burada yapılır, bir yabancı, iki kadın arasında bocaladığında, burada daima bir üçüncüsüne rastlar, ve horoz döğüşleri burada bahisçilerin kanlı kavgalarına dönüşür. Bir kent arzuladığında hep bunları düşünürdü o. Onun hayallerinin kenti Isidora öyleyse: bir farkla. Düşlenen kent gençliğiyle içeriyordu onu; geç yaşta gelir Isidora'ya. Kent meydanında yaşlıların bir duvarı vardır: üzerine dizilir gençliğin önlerinden geçip gidişine bakarlar; o da oturur aralarına. Arzular birer anıdır şimdi.

Kentler ve arzu 1

Dorotea iki türlü anlatılabilir: kenti, her biri üç yüz ev ve yedi yüz bacadan oluşan dokuz mahalleye bölerek boydan boya kateden dört yeşil kanaldan, bu kanalları suları ile besleyen ve kaleyi çepeçevre dolaşan hendekten, hendeği aşarak kaleyi karşıya bağlayan inerkalkar yaylı köprülere açılan yedi kapının dayandığı surlardan ve bunların üzerinde yükselen dört alüminyum kuleden söz eder, her mahallenin gelinlik kızlarının öteki mahalleden gençlerle evlendiğini, ailelerin kendi tekelinde tuttuğu, bergamut, havyar, astrolap, ametist gibi şeyleri aralarında takas ettiklerini göz önüne alarak bütün bu verilerden hareketle kentten geçmişte, şimdi ve gelecekte talep edeceğin şeylerin tümünü keşfedinceye dek hesaplar yapılabileceğini anlatabilirsin; ya da beni oraya götüren deveci gibi yapar şöyle dersin: "Bu kente, ilk gençlik yıllarımda, bir sabah vakti geldim: sokaklarda yığınla insan hızla pazara doğru gidiyordu, kadınların güzel dişleri vardı ve gözlerinin içine içine bakıyorlardı, tahta bir set üzerinde üç asker klarnet çalıyordu, dört bir yanda çemberler dönüyor, rengârenk pankartlar rüzgârda uçuşuyordu. O ana dek benim gördüğüm tek şey çöl ve kervan izleriydi. O sabah, Dorotea'da, yaşamdan umamayacağım hiçbir nimet yokmuş gibi geldi bana. Daha sonraki yıllarda gözlerim, çölün bitimsiz kumlarını ve kervan izlerini seyretmeye döndü; oysa şimdi biliyorum: bu, o sabah Dorotea'da bana açılan bir sürü yoldan sadece birisiydi".

Kentler ve anı 3

Yüksek burçlarıyla Zaira'yı boşuna anlatmaya çalışacağım sana gönlüyüce Kubilay. Merdiven yolların kaç basamaktan oluştuğundan, kemer kavislerinin açı derinliğinden, çatıların hangi kurşun levhalarla kaplandığından söz edebilirim sana; ama şimdiden biliyorum, hiçbir şey söylememiş olacağım sonunda. Zira bir kenti kent yapan şey bunlar değil, kapladığı alanın ölçüleri ile geçmişinde olup bitenler arasındaki ilişkidir: bir sokak lambasının yerden yüksekliği ve orada idam edilen zorbanın sallanan ayakları ile yer arasındaki uzaklıktır; o lambadan karşı parmaklığa gerilen ip ve kraliçenin düğün alayının geçeceği güzergâhı süsleyen festonlardır; parmaklığın yüksekliği ve şafakta onun üzerinden atlayıp kaçan gizli sevgilinin sıçrayışıdır; bir saçağın eğimi ve aynı pencereye süzülen bir kedinin o saçak üzerinde kayarcasına yürüyüşüdür; burunun arkasından birden çıkıveren harp gemisinin toplarıyla çizdiği siluet ve saçağı yok eden bombadır; balık ağlarındaki yırtıklar ve ağlarını yamamak üzere iskeleye oturmuş, kraliçenin gayri meşru oğlu olduğu ve kundağıyla, oraya, iskeleye bırakıldığı rivayet edilen zorbanın harp gemisinin hikâyesini yüzüncü kez birbirlerine anlatan o üç yaşlı adamdır.

Anılardan akıp gelen bu dalgayı bir sünger gibi emer kent, ve genişler. Zaira'nın bugün olduğu biçimiyle bir anlatısı Zaira'nın tüm geçmişini içermeli. Oysa kent geçmişini dile vurmaz, çizik, çentik, oyma ve kakmalarında zamanın izini taşıyan her parçasına, sokak köşelerine, pencere parmaklıklarına, merdiven trabzanlarına, paratoner antenlerine, bayrak direklerine yazılı geçmişini bir elin çizgileri gibi barındırır içinde.

Kentler ve arzu 2

Üç gün hep güneye gidersen, karşına, iç içe kanallarla sırılsıklam, göklerinde uçurtmaların uçtuğu bir kent, Anastasia dikiliverir. Önce burada ucuza satılan şeyleri sıralayayım: akik, oniks, zümrüt ve diğer kuartz çeşitleri; buralarda, bekletilmiş kiraz ağacından kesilen odun ateşinde, bol kekikle pişirilen nar gibi kızarmış sülün etini de övmeliyim; bir bahçenin havuzunda yıkanırken gördüğüm ve -anlatılanlara göre- yoldan geçenleri, bazen kendileriyle birlikte soyunmaya ve suda şakalaşmaya davet eden kadınlardan da söz etmeliyim. Bütün bunlarla kentin gerçek özünü anlatamam oysa sana: çünkü Anastasia'nın anlatısı, sonradan boğmak zorunda kalacağın arzuları içinde bir bir uyandırmaktan öteye geçemezken, bir sabah kendisini Anastasia'nın orta yerinde buluveren birinde arzular hep birden ayaklanır ve kuşatıverir seni. Kent her arzunun mutlaka yaşanması gerektiği, senin de parçası olduğun bir bütünmüş gibi gelir sana, oysa o, senin keyif alamadığın her şeyin tadına varır, sana da bu arzuda yaşamak ve bununla yetinmek kalır. Kancık kent Anastasia'nın, kimine göre kötü, kimine göre iyi, böyle bir gücü var işte: eğer günde sekiz saat akik, oniks ya da zümrüt kesiyorsan, senin, arzuya biçim veren yorgunluğun, kendi biçimini o arzudan alır, ve sen Anastasia'nın tümüyle keyfini çıkardığını düşünürken sadece tutsağı olursun onun.

Kentler ve göstergeler 1

İnsan ağaçlar ve taşlar arasından günlerce yürür. Göz nadiren takılır bir şeye. Yalnızca, onu, başka bir şeyin işareti olarak tanıdığı zaman: kumdaki iz kaplanın geçişini anlatır; sazlık, bir su damarını haber verir; japongülü kışın bittiğini muştular. Bunlar dışında her şey dilsiz her şey aynıdır; ağaçlar ve taşlar sadece ağaç, sadece taştır.

Yolculuğun sonunda Tamara vardır. Kente, duvarlardan uzanan dükkân tabelalarının tıklım tıklım doldurduğu yollardan girilir. Göz, şeyleri görmez, başka şeylerin anlamını yüklenmiş şeylere ait şekiller görür: kerpeten dişçinin evini; kupa tavernayı; baltalı kargı karakolu; terazi pazarcıyı gösterir. Heykeller ve kalkanlar, aslanları, yunusları, kuleleri, yıldızları temsil eder: aslan, yunus, kule, yıldız, bir şeyin -kimbilir neyin- kendi işareti olarak seçtiği göstergelerdir. Diğer tabelalar bir yerde yasak olan (dar sokağa yük arabası ile girmek, gazete bayiinin arkasına işemek, köprüden kamışla balık tutmak) ve yasal olan (zebralara su içirmek, bowling oynamak, akraba cesetlerini yakmak) şeyler hakkında uyarılardır. Her biri kendi özel simgelerini taşıyan tanrı heykelleri görünür tapınak kapılarından: bereket boynuzu, kum saati, medusa. Dindar kişi onları rahatça tanır böylece ve doğru dualar yöneltir her birine. Eğer bir binada hiçbir tabela, hiçbir figür yoksa binanın biçimi ve kentin düzeni içindeki yeri, işlevini göstermeye yeterlidir: krallık sarayı, hapishane, darphane, ilkokul, genelev. Satıcıların tezgâhlarda sergilediği mallar da kendileri için olmaktan çok başka şeylerin işaretleri oldukları ölçüde anlam taşırlar. İşlemeli alın bandı zarafet, altın kaplı tahtırevan iktidar, İbn-i Rüşt ciltleri bilgelik, halhal şehvet demektir. Yazılı sayfalarmışçasına tarar yolları göz: kent düşünmen gereken her şeyi söyler, kendi sözlerini yineletir sana, ve sen Tamara'yı gördüğünü düşünürsün, oysa tek yaptığın kentin tüm parçalarıyla kendisini anlatmada kullandığı adları belleğine yazmaktır.

Bu kalın göstergeler kabuğu altında kent gerçekte nasıldır, ne içerir ya da ne saklar, insan Tamara'dan bunları öğrenemeden çıkar. Dışarda boş toprak ufuk çizgisine kadar uzanmaktadır, bulutların koşturduğu bir gökyüzü açılır önünde. Rastlantı ve rüzgârın bulutlara verdiği biçimde insan, şekilleri tanımaya hazırdır bile: bir yelkenli, bir el, bir fil...

Kentler ve anı 4

Altı nehrin ve üç sıradağın ötesinde, bir görenin bir daha unutamadığı kent, Zora yükselir. Bunun nedeni, Zora'nın, hatırlanan diğer kentler gibi anılarda olağandışı bir imge bırakması değildir. Her birinde özel güzellikler, nadir şeyler sunmasa da sokakların ve sokaklar boyunca evlerin, evlerdeki kapı ve pencerelerin sıralanışıyla, Zora'nın her noktasıyla akılda kalma gibi bir özelliği vardır. Gözün tıpkı tek bir notasını bile yerinden oynatamadığın ya da değiştiremediğin bir müzik partisyonundaki gibi birbirini izleyen şekiller üzerinde gezinme biçiminde gizlidir Zora'nın sırrı. Zora'nın nasıl olduğunu ezbere bilen biri, uyuyamadığı gecelerde kentin yollarında yürüdüğünü hayal eder ve bakır saatin, berberin şerit perdesinin, dokuz fıskiyeli çeşmenin, yıldızlar âlimine ait cam kulenin, karpuzcu dükkânının, münzevi ile aslan heykelinin, türk hamamının, köşedeki kahvenin, limana giden kestirme yolun birbirini izleyişindeki düzeni hatırlar. Akıllardan çıkmayan bu kent bir zırhtır, ya da herkesin anımsamak istediği şeyleri karelerine yerleştirebileceği bir çapraz bulmaca: ünlü kişilerin adları, erdem, sayılar, maden ve bitki türleri, savaş tarihleri, yıldız kümeleri, bir konuşmanın bölümleri. Her fikirle güzergâhın her noktası arasında, belleğin anlık çağrışımlar yapmasına yarayacak bir benzerlik ya da bir zıtlık ilişkisi kurulabilir. Öyle ki dünyanın en bilge kişileri Zora'yı ezbere bilenlerdir.

Ben bu kenti görmek için boşuna koyuldum yollara: daha iyi anımsanmak için hep aynı kalmak ve hareketsiz durmak zorunda olduğundan, Zora eridi, çözüldü ve yok oldu. Yeryüzü unuttu onu.

Kentler ve arzu 3

Despina'ya iki türlü gidilir: gemiyle ya da deveyle. Karadan gelene başka denizden gelene başka görünür kent.

Gökdelen tepelerinin, radar antenlerinin, rüzgârda beyaz, kırmızı, dalga dalga rüzgârgüllerinin, kurum kusan bacaların, yaylanın göğe değdiği çizgiden fırlayışını gören deveci bir gemiyi düşünür; bir kenttir bu, bilir, ama, kendisini çölden alıp götürecek yelkenli bir gemi gibi görür onu; henüz çözülmemiş yelkenlerini şişiren rüzgârla denize açılmaya hazır bir yelkenliyi, ya da demir gövdesinde sarsılan sıcak su kazanıyla buharlı bir gemiyi düşünür ve tüm limanları, vinçlerin doklara boşalttığı denizötesi ürünleri, değişik bandıralı mürettebatın, birbirinin kafasında şişe kırdığı meyhaneleri, her birinde bir kadının saçlarını taradığı ışık yanan zeminkat pencerelerini düşünür.

Denizci ise, kıyının pusunda, bir deve hörgücünün biçimini, sağa sola sallanarak ilerleyen iki benekli hörgüç arasında parlak püsküllü bir eyerin biçimini seçer; bir kenttir bu, bilir, ama hamudundan şarap tulumları, meyve şekerlemeleri, hurma şarapları, tütün yaprakları dolu torbalar sarkan bir deve gibi görür onu, ve kendisini bu deniz çölünden alıp, palmiyelerin dantel gölgesindeki tatlısu vahalarına, kalın kireç duvarlı, taş avlularında kızların, kollarını, tül peçelerin biraz içinde biraz dışında oynatarak, çıplak ayak dans ettikleri saraylara götüren uzun bir kervanın başında görür.

Her kent, biçimini, karşısında durduğu çölden alır; iki çölün sınır kenti Despina'yı böyle görür deveci ile denizci.

Kentler ve göstergeler 2

Yolcular Zirma'dan çok farklı anılarla döner: kalabalıkta bağıran kör bir zenci, bir gökdelenin kornişinden yarı beline kadar sarkmış bir deli, tasmalı bir pumayla dolaşan bir kız. Zirma'nın taş yollarını değnekleriyle yoklayan körlerin çoğu zencidir aslında, her gökdelende deliren biri vardır, tüm deliler çoğu zamanını kornişlerde geçirir, tek bir puma yoktur ki kızların kaprisi için yetiştirilmesin. Kent çok zengindir: sürekli yineler kendisini, yineler ki birşeyler akıllara çakılıp kalsın.

Ben de Zirma'dan dönüyorum: anılarım arasında pencere yüksekliğinde her yöne uçan zeplinler, denizcilerin derilerine dövme yapan dükkânların dizildiği yollar, sıcak ve rutubetten bunalmış şişman kadınlarla tıklım tıklım yeraltı trenleri var. Oysa yol arkadaşlarım, kentin dorukları arasında, havada asılı duran tek bir zeplin; tezgâhında iğneler, mürekkepler ve hazır motifler bulunduran tek bir dövmeci; bir vagonun arka sahanlığında yelpazelenen tek bir şişman kadın gördüklerine yemin ediyorlar. Bellek denen şey çok zengin: sürekli yineler göstergeleri, yineler ki kent varolmaya başlasın.

İnce kentler 1

Bin kuyusuyla İsaura'nın, derin bir yeraltı gölünün üzerinde yükseldiği düşünülür. Kent sakinleri derin, dikey delikler açarak her yerden su çıkarabilirler; bu alan içine yayılır kent, daha ötesinde yoktur: kentin çizdiği yeşilimsi daire yeraltı gölünün karanlık kıyılarının bir tekrarıdır, görünmez bir manzara biçimler görüneni, güneşin altında kımıldayan her şeyin hareketi, kalkerli kayaların oluşturduğu o yeraltı gökyüzüne çarpıp duran dalgadan kaynaklanır.

Bu durumda Isaura'ya iki ayrı din yakıştırılır. Kimilerine göre kentin tanrıları derinlerde, yeraltı damarlarını besleyen o siyah gölde otururlar. Kimilerine göre ise tanrılar, iplerin ucunda yukarı çekilen ve kuyu ağzında görünen kovalarda, dönen makaralarda, beygirlerin çevirdiği sudolaplarının parçalarında, tulumba saplarında, kuyulardan su çeken rüzgâr değirmenlerinin kanatlarında, ortasında sondaların döndüğü sondaj kulelerinde, damlarda, sırıklar üzerine oturtulmuş asma sarnıçlarda, açık su kanallarının ince kemerlerinde, tüm su kolonlarında, dikey borularda, basma tulumbalarda, drenaj borularında, tüm varlığıyla yukarıya uzanan Isaura'nın yüksek, yapı iskeleleri üzerindeki rüzgârgüllerinde yaşarlar.

Yüce Han'ın uzak eyaletleri teftişe gönderdiği ulaklar ve vergi tahsildarları düzenli bir biçimde Kemenfü sarayına, Han'ın, onların uzun raporlarını dinleyerek, gölgesinde gezindiği manolya bahçelerine dönerlerdi. Elçiler pers, ermeni, süryani, kopt, türkmendiler; imparator, tebasına yabancı olan kişidir, bu yüzden imparatorluk Kubilay'a sadece yabancı gözler ve kulaklar aracılığı ile gösterebiliyordu varlığını. Ulaklar kendilerinin bilmediği dillerde topladıkları bilgileri, Han'a onun bilmediği dillerde veriyorlardı: bu opak ses kalabalığından, imparatorluk hazinesine giren gelirlerle ilgili sayılar, görevden uzaklaştırılıp, kellesi alınan memurların ad ve soyadları, kıtlık dönemlerinde cılız nehirlerin beslediği sulama kanallarının boyutları sıyrılıyordu. Oysa rapor verme sırası genç Venedikliye geldiğinde, imparatorla onun arasında bambaşka bir iletişim kuruluyordu. Ülkeye yeni geldiği ve doğu dillerini hiç bilmediğinden, Marco Polo kendisini ancak jestlerle, taklalarla, şaşkınlık ve korku çığlıkları, havlamalar, baykuş sesleriyle anlatıyor, ya da heybesinden devekuşu tüyleri, ağız tüfekleri, quartzlar çıkarıyor, bunları satranç taşları gibi kendi önüne yerleştiriyordu. Kubilay'ın gönderdiği yolculuklardan her dönüşünde dâhi yabancı, hükümdarın yorumlamak zorunda kalacağı pantomimler doğaçlıyordu: bir kent, eninde sonunda bir ağa takılacak bir balığın, karabatağın gagasından kurtulmak için sıçramasıyla; bir başka kent, ateşin içinden yanmadan geçen çıplak bir adam-

la; bir üçüncüsü, küflü, yeşil dişlerinin arasında yuvarlak, bembeyaz bir inciyi sımsıkı tutan bir kafatası ile anlatılıyordu. Yüce Han göstergelerin anlamını çözüyordu ama göstergelerle görülen yerler arasındaki ilişki belirsiz kalıyordu: Marco, yolculuğu sırasında başından geçen bir macerayı, kentin kurucusunun bir girişimini, bir yıldız falcısının kehanetini, bir adı gizleyen resimli, ya da sözlü bir bilmeceyi mi anlatmaya çalışıyor, asla bilemiyordu Han. Oysa anlamları açık olsun ya da karanlık kalsın Marco'nun gösterdiği tüm şeyler, bir kez görüldüler mi asla unutulmayan, hiçbir şeyle karıştırılmayan amblemlerin gücüyle yüklüydü. Han'ın kafasında imparatorluk, her bir kent ve eyalet için, Venediklinin, kelime oyunlarıyla yarattığı şekillerin içinde yükseldiği, kum tanecikleri gibi birbirinden farksız ve kaygan verilerden oluşan bir çölde yansıyordu.

Mevsimler geçip yolculukları sürdükçe, Marco tatar dilini, çeşitli ulusların kullandığı deyimleri, kavimlerin lehçelerini öğrendi. Anlattıkları Yüce Han'ın isteyebileceğinden de kesin ve ayrıntılıydı artık ve Han'ın hiçbir sorusu yoktu ki cevaplayamasın, hiçbir merakı yoktu ki gideremesin. Ama gene de belli bir yerle ilgili bir bilgi, Han'ın kafasında, Marco'nun o yeri anlatırken kullandığı ilk jesti veya ilk nesneyi çağrıştırıyordu. Yeni veri o amblemle bir anlam kazanıyor ve birlikte ambleme yeni bir anlam ekliyordu. Belki de imparatorluk, zihnin hayallerle yarattığı bir burçlar kuşağı sadece, diye düşündü Kubilay.

- Tüm amblemleri tanıdığım gün, - diye sordu Marco'ya - imparatorluğuma sahip olabilecek miyim nihayet?

Venedikli: - Hiç heveslenme Hünkârım: o gün sen kendin amblemler arasında amblem olacaksın.

II

— Diğer elçiler beni kıtlıklar, yolsuzluk ve suikastler konusunda uyarıyorlar, ya da yeni bulunan türkuaz madenlerinden, samur postlarının ucuzluğundan, kakmalı şam hançeri satışları ile ilgili bize yapılan tekliflerden söz ediyorlar. Ya sen? — diye sordu Yüce Han, Polo'ya. — Sen de uzak ülkelerden dönüyorsun ve bana bütün söyleyebildiğin, akşam, evinin eşiğinde oturmuş, serinleyen birinin aklına gelebilecek düşünceler. Peki ne anlamı var öyleyse bunca yolculuğun?

— Vakit akşam, dedi Marco Polo, — sarayın merdivenlerine oturmuşuz, tatlı bir rüzgâr esiyor. — Sözlerim, senin etrafında hangi ülkeyi kurarsa kursun, bu sarayın yerinde kazıklar üzerine kurulmuş bir köy de olsa, meltem sana çamur dolu bir nehir ağzının kokusunu da getirse sen, hep kendi durduğun yere benzer bir yerden göreceksin onu.

— Biliyorum, — dedi Han, — benim bakışım, düşüncelere boğulmuş, dalgın birinin bakışı. Peki ama ya seninki? Sen takımadaları, tundraları, sıradağları aşıyorsun. Buradan hiç ayrılmasan da olurdu aslında.

Venedikli, Kubilay'ın kendisine kızdığı anların kendi kafasındaki bir düşüncenin mantık çizgisini daha iyi izleyebilmek istediği anlar olduğunu, kendisinin vereceği cevapların, yapacağı itirazların ise, Han'ın kafasında çoktan oluşmuş özgür bir konuşmada tek tek yerlerini bulduğunu biliyordu. Bunun anlamı şuydu: İkisi arasında sorunların ve çözümlerin söze dökülüp dökülmemesi ya da her birinin kendi kafasında bunları sessizce evirip çevirmesi pek fark etmiyordu. Nitekim her ikisi de sessiz duruyor, yarı kapalı gözlerle yastıklara gömülmüş hamaklarda sallanarak uzun amber pipolarını tüttürüyorlardı.

Marco Polo, uzak kentlerin yabancı semtlerinde kendisini ne denli yitirirse, oraya varmak için geçtiği diğer kentleri o denli anladığını ve yolculuklarının duraklarından tekrar geçtiğini, demir aldığı limanı, gençliğinin geçtiği tanıdık mekânları, evinin civarını, ve çocukken koşturduğu küçük Venedik meydanını tanımayı öğrendiğini söylediğini hayal ediyordu (ya da Kubilay Han onun cevabını hayal ediyordu).

Bu noktada Kubilay, şöyle bir soruyla Polo'nun sözünü kesiyordu ya da kestiğini hayal ediyordu, ya da Marco sözünün kesildiğini hayal ediyordu: — Hep başın arkaya dönük mü ilerlersin sen? — ya da: — Gördüğün şey hep geride kalan mıdır? — ya da daha doğrusu: — Yalnız geçmişe mi senin yolculuğun?

Bütün bunlar, aslında, Marco Polo anlatabilsin ya da anlattığını hayal edebilsin ya da anlattığı hayal edilebilsin ya da nihayet kendi kendisine, aradığının hep önündeki bir şey olduğunu, ve söz konusu geçmiş bile olsa, bunun, o yol aldıkça, adım adım değişen bir geçmiş olduğunu anlatmayı başarabilsin diyeydi, zira yolcunun geçmişi, tamamlanmış bir güzergâha göre değişir: her geçen günün, üzerine bir gün daha eklediği yakın geçmiş değil, çok daha uzak bir geçmiştir bu. Her yeni kente geldiğinde yolcu, bir zamanlar kendisinin olduğunu artık bilmediği bir geçmişini bulur yeniden: artık olmadığın ya da sahip olmadığın şeyin yabancılığı, hiç senin olmamış yabancı yerlerin eşiğinde bekler.

Bir kente girer Marco; bir meydanda, birinin, geçmişte kendisinin olabilecek bir yaşamı, ya da bir anı yaşadığını görür; çok zaman önce, zamanın içinde durmuş olsaydı, ya da çok zaman önce, bir yol sapağında, saptığı yola değil de onun tam karşısındakine sapsaydı ve uzun zaman dolaştıktan sonra dönüp o meydandaki o adamın yerinde durmuş olsaydı, orada, o meydanda o adam değil, kendisi olabilirdi şimdi. Marco, bu gerçek ya da kuramsal geçmişinin dışındadır artık; duramaz; kendisini bir başka geçmişinin, ya da bir olasılık, geçmişte, onun olası bir geleceği olmuş ve şu anda, bir başkasının şimdisi olan bir şeyin beklediği bir başka kente kadar devam etmelidir yoluna. Yaşanmamış gelecekler geçmişin dallarıdır yalnızca: kuru dalları.

— Bütün bu yolculuklar geçmişini yeniden yaşamak için mi? — diye sordu bu noktada Han. Şöyle de sorabilirdi aslında: — Bütün bu yolculuklar geleceğini yeniden bulmak için mi?

Şöyle cevap verdi Marco: — Başka yer, negatif bir aynadır. Yolcu sahip olduğu tenhayı tanır, sahip olmadığı ve olmayacağı kalabalığı keşfederek.

Kentler ve anı 5

Maurilia'da yolcu kenti gezmeye, aynı zamanda da onu eski haliyle gösteren bazı kartpostalları incelemeye davet edilir: otobüs durağının yerinde, ortasında bir tavukla aynı meydan; üstgeçidin yerinde bandonun konser köşkü; patlayıcı fabrikasının yerinde beyaz şemsiyeli iki genç kız. Kent sakinlerini düş kırıklığına uğratmamak için yolcu, kartpostallardaki kenti övmeli ve onu yeni Maurilia'ya yeğlemeli, ancak bunu yaparken bu değişimden duyduğu üzüntüyü belli kurallar içinde belirtmeye özen göstermelidir: metropolleşmiş Maurilia'nın ihtişam ve zenginliğinin, eski taşra kenti Maurilia ile karşılaştırıldığında, artık sadece eski kartpostallarda tadına varılabilecek bir güzelliğin yerini tutamayacağını, oysa taşra Maurilia'ya eskiden bakan birinin güzel hiçbir şey göremediğini ve de Maurilia olduğu gibi kalsaydı bunun, bugün daha da olanaksız olacağını, gene de metropolün artı bir çekicilik kazandığını ve kentin bugününe bakanların, eski kenti özlemle düşünebildiğini kabul etmelidir.

Farklı kentlerin bazen aynı zemin üzerinde ve aynı ad altında birbirini izlediklerini, birbirlerini hiç tanımaksızın, hiçbir iletişim kuramadan doğup öldüklerini sakın söylemeyin onlara. Öyle olur ki, bazen sakinlerin adları, seslerinin vurguları, hatta yüz hatları bile aynı kalır; oysa adların altında, yerlerin üzerinde yaşayan tanrılar sessizce çekip gitmişler ve yerlerine yabancı tanrılar yerleşmiştir. Yeniler eskilerden daha mı iyi, daha mı kötü, bunu sorgulamak boşuna olur; tıpkı kartpostalların eski haliyle Maurilia'yı değil, bu kent gibi, rastlantı sonucu adı Maurilia olan bir başka kenti göstermesi gibi, onların aralarında da hiçbir ilişki yoktur çünkü.

Kentler ve arzu 4

Gri taş metropol Fedora'nın merkezinde, her odasında cam bir küre bulunan büyük, metal bir bina var. Her kürenin içine bakıldığında başka bir Fedora'nın modeli olan mavi bir kent gözüküyor. Şu ya da bu nedenle bugün gördüğümüz durumuna gelmeseydi, kentin alabileceği biçimleri gösteriyor bu modeller. Her dönemde, biri, bir zamanlar olduğu biçimiyle Fedora'ya bakarak, ondan ideal bir kent yaratmanın yollarını düşlemişti, ancak kurmaya kalktığı minyatür modeli henüz tamamlayamadan Fedora eski Fedora olmaktan çıkmıştı bile, ve düne kadar kentin gelecekte olabileceği şey artık cam bir kürede bir oyuncaktı sadece.

Fedora'nın küreler binasında bir müzesi var şimdi; her kent sakini gidip onu görüyor, kendi arzularına cevap veren kenti seçiyor, aksinin (eğer kurutulmamış olsaydı), kanalın sularını toplayacak olan medusa havuzunda yansıdığını, yüksek bir sayebanın içinde, (artık kentten kovulmuş) fillere mahsus yoldan geçtiğini, (artık üzerinde yükseleceği zemin kalmamış) helezoni minarenin spirali boyunca kaydığını hayal ederek uzun uzun seyrediyor onu.

Senin imparatorluk haritanda, yüce Han, hem büyük, taş Fedora, hem de cam kürelerdeki küçük Fedora'lar bulunmalı. Hepsi aynı ölçüde gerçek olduklarından değil, hepsi birer tasarı olduğu için. Biri, henüz gerekli olmadığı halde gerekli görülen şeyi, diğerleri ise olası gibi düşünülen ve bir saniyede tüm olasılığını yitiren şeyi saklar içinde.

Kentler ve göstergeler 3

Yolculuk yapan ve yolu üzerinde kendisini bekleyen kenti henüz tanımayan kişi, krallık sarayının, kışlanın, değirmenin, tiyatronun, ve çarşının nasıl olacağını merak eder. İmparatorluğun her kentinde her yapı birbirinden farklıdır ve farklı bir düzen içinde yer alır: oysa yabancı ilk kez geldiği bir kente girer girmez, kanalların, bostan ve çöplüklerin kıvrımlarını gözleriyle izleyerek, hepsi birarada bir çam kozalağını andıran pagodalara, tavanaralarına, samanlıklara şöyle bir baktı mı, prens saraylarını, büyük din bilginlerinin tapınaklarını, hanı, hapishaneyi, genelevi hemen ayırır diğer yapılardan. Böylece herkesin kendi kafasında sadece farklılıklardan oluşan, şekilleri, biçimi olmayan bir kent yaşattığı, özel kentlerin bu kenti doldurduğu varsayımı da kanıtlanmış olur — der biri —.

Zoe için geçerli değil bu. Bu kentin her yerinde insan canı istediğinde uyur, alet edavat üretir, yemek pişirir, altın para biriktirir, soyunur, hükmeder, satar, kâhinleri sorgular. Piramit bir çatı, cüzam hastanesini ya da odalık hamamlarını örtebilir. Yolcu dolaşır, dolaşır, sadece kuşku doludur kafası: kentin farklı özelliklerini birbirinden bir türlü ayıramadığından, kafasında ayrı tuttuğu özellikler de karışır birbirine. Şu sonuca varır: kentin her dakikasında yaşam, tümüyle kentin kendisiyse Zoe tümel, bölünmez bir varoluşun yeridir. Peki öyleyse kent niye? Hangi çizgi ayırıyor içi dıştan, tekerlek uğultularını kurt ulumalarından?

İnce kentler 2

Şimdi Zenobia'dan ve onun olağanüstü bir özelliğinden söz edeceğim: kuru toprak üstünde kurulmuş olmasına karşın Zenobia upuzun kazıklar üzerinde yükseliyor; evler bambu ve çinkodan, hepsinin birçok balkonu ve terası var, farklı yüksekliklerde, birbiri üstüne binen sırıklar üzerine kurulmuş, seyyar merdivenler ve asma kaldırımlarla birbirine bağlanmış. Her birinin üzerinde konik çatılı birer cam köşk, su varilleri, rüzgârgülleri var, makaralar, olta kamışları ve palangalar sarkıyor damlarından.

Hangi gereksinim, hangi buyruk ya da hangi arzu, Zenobia'nın kurucularını, kentlerine bu biçimi vermeye yönlendirmiş bunu hatırlayan kimse yok; bu yüzden, bir olasılık, bugün anlaşılması olanaksız o ilk plandan başlayarak birbirini örte örte büyüyen katmanlar üzerinde gelişip büyüyen kentin, bugünkü durumuyla o gereksinimin, o buyruğun ya da o arzunun hoşuna gidip gitmediği bilinmiyor. Ama kesin olan şu ki, Zenobia'da oturan birine mutlu bir yaşamın onca ne olduğu sorulsa, kazıkları ve boşluktaki merdivenleriyle, hep Zenobia gibi bir kent hayal eder; bayrakları ve şeritleriyle rüzgârda uçuşan bambaşka bir Zenobia'dır belki de bu; ama hep o ilk modelin parçalarından oluşan, o modelden türemiş bir Zenobia.

Bütün bunlardan sonra, Zenobia mutlu ya da mutsuz kentlerden biri mi, bunu düşünmenin bir anlamı yok. Kentleri bu iki grupta toplamak yanlış, başka türlü ayırmalıyız onları: kentler vardır, yıllarla ve değişerek arzuları biçimlemeyi sürdürürler, kentler vardır, ya arzularca silinir, ya da arzuları siler, yok ederler.

Kentler ve takas 1

Mistral[1] rüzgârına karşı seksen mil yürürsen yedi düvelden tacirlerin her Solstis[2] ve Ekinoks'ta[3] buluştuğu Eufemia'ya varırsın. Zencefil ve pamuk yüküyle limana giren gemi, ambarlarına fıstık ve haşhaş tohumu yükleyip tekrar yelken açmaya hazırlanırken, hindistancevizi ve kuru üzüm dolu torbalarını henüz boşaltmış kervan, dönüş yolculuğu için altın renkli müslin topları yüklemektedir torbalarına. Ama insanları, nehirleri ve dağları aşırıp buralara getiren şey, Büyük Han'ın imparatorluğu içinde ve dışındaki tüm pazarlarda, aynısını bulabileceğin, aynı şerit perdelerin gölgesinde, aynı sarı hasırlar üzerinde ayaklarının dibine serilmiş, sözde ucuza satılan malları takas etmek değil. Eufemia'ya yalnızca birşeyler alıp, birşeyler satmaya gelmez insan; Eufemia'da geceleri, pazar çevresinde yanan ateşlerin yamacında, çuvalların, varillerin üzerine oturmuş, ya da halı yığınlarının üzerine uzanmış biri: 'kurt', 'kız kardeş', 'gizli define', 'savaş', 'uyuz', 'âşıklar' türünden bir laf etmeye görsün, ötekiler de kurtlarla, kız kardeşlerle, hazinelerle, uyuzla, âşıklarla, savaşlarla ilgili kendi başlarından geçenleri anlatırlar hemen. Bilirsin Eufemia'dan, her solstis ve ekinoks'ta anıların takas edildiği bu kentten döner-

(1) Mistral rüzgârı: Her yörenin egemen rüzgârı; "hâkim rüzgar".

(2) Solstis: Gündönümü. Güneşin kuzey ve güney eğiminde eriştiği en yüksek noktalar (21-22 haziran, 21-22 aralık).

(3) Ekinoks: Gün gece eşitliği; ılım. Güneşin tam ekvatorun üstünde olduğu anlar (21 mart ve 23 eylül). (çevirenin notu)

ken seni bekleyen uzun yolculukta, devenin ya da geminin sallanışına karşı koyup uyumamak için insan kendi anılarını bir bir düşünmeye koyulduğunda, senin kurdun bir başka kurt, kız kardeşin değişik bir kız kardeş, savaşın başka savaşlar olacaktır.

... Ülkeye yeni geldiğinden ve Doğu dillerini hiç bilmediğinden, Marco Polo valizlerinden çıkardığı tamburlar, tuzlanmış balıklar, yabandomuzu dişinden kolyeler gibi objelere başvuruyor, bunları el hareketleri, sıçrayışlar, hayret ve dehşet çığlıkları eşliğinde gösteriyor, çakal gibi uluyor, baykuş gibi ötüyor, derdini ancak böyle anlatıyordu.

Anlattığı şeyin ögeleri arasındaki ilişkiler her zaman anlaşılır değildi imparator için. Objeler çok farklı şeyler söylüyor olabilirlerdi pekâlâ: ok dolu bir sadak, bazen bir savaşın yaklaşmakta olduğuna, bazen bereketli bir av mevsimine, bazen bir silahçı dükkânına işaretti; kum saati, geçmekte olan ya da geçmiş zaman veya kum ya da kum saati yapılan bir imalathane anlamına gelebilirdi.

Ama, yarım yamalak konuşmasıyla habercisinin aktardığı her olayı, her haberi imparatorun gözünde bunca değerli kılan, ikisinin de etrafında yaratılan o özgür alan, sözcüklerin doldurmadığı o boşluktu. Marco Polo'nun gördüğü kentleri anlatışında öyle bir başkalık vardı ki bu kentlerde düşüncenizle gezebilir, içlerinde yitebilir, serinlemek için durabilir ya da hızla kaçabilirdiniz.

Zamanla, Marco'nun hikâyelerinde obje ve jestlerin yerini sözler almaya başladı: önce nidalar, soyutlanmış isimler, kuru fiiller, sonra dolambaçlı laflar, ayrıntılı, bol sözlü konuşmalar, mecazlar, dolaylamalar...

Yabancı, imparatorun dilini konuşmayı öğrenmişti, ya da imparator yabancının dilini anlamayı.

Ancak aralarındaki iletişim, geçmişte olduğundan daha az keyifliydi sanki: her eyaletin, her kentin, anıtlar, çarşılar, örf ve âdetler, özel bitki ve hayvan türleri gibi en önemli şeylerini sıralamada sözler, kuşkusuz, obje ve jestlere kıyasla daha çok işe yarıyordu; ancak günler ve geceler boyu süren bir anlatıda Polo, oralarda yaşamın nasıl olabileceğinden söz etmeye başladığında sözcükler yetersiz kalıyor, o da ağır ağır jestlere, mimiklere, bakışlara başvuruyordu gene.

Böylece Polo her kent için, belli sözcüklerle verilen temel haberlerin peşine, avuçlarını içe, dışa ya da yere çevirip ellerini düz veya yan, telaşlı ya da sakin hareketlerle havaya kaldırarak sessiz bir yorum ekliyordu. Aralarında yeni bir diyalog biçimi kuruldu: Yüce Han'ın yüzüklerle bezenmiş beyaz elleri tacirin kıvrak, güçlü ellerine ölçülü hareketlerle yanıtlar veriyordu. Aralarında gelişen bir anlaşma sonucunda eller sabit hareketler benimsediler; bu hareketlerin her biri değişerek ve yinelenerek belirli bir ruh durumunu karşılıyordu. Yeni gelen eşya örnekleriyle şeylerin söz dağarcığı yenilenirken, sessiz yorumlar dağarcığı kısırlaşmaya ve sabitleşmeye yüz tuttu. Her ikisinde de sessiz yorumlara dönme keyfi giderek azalıyordu; sohbetlerinde çoğu zaman suskun ve hareketsizdiler.

III

Marco Polo'nun anlattığı kentlerin birbirine benzediğini, birinden ötekine, yolculukla değil ögelerin değişmesiyle gidilebildiğini fark etmişti Kubilay Han; düşüncesi artık Marco'nun anlattığı kentlerden özgürce yola çıkıyor, kenti parça parça söktükten sonra terkibini yeniden ayarlayarak parçaların konumunu ve duruşunu değiştirip başka türlü yeniden kuruyordu.

Bu arada Marco yolculuğunu anlatmaya devam ediyor ancak imparator artık onu dinlemediği gibi durmadan sözünü kesiyordu:

– Bundan böyle kentleri ben anlatacağım sana ve sen, gerçekten var mı bu kentler ve de düşündüğüm gibi mi onu söyleyeceksin bana. Önce şu kenti sorayım: merdivenli yollarıyla, şirokko rüzgârına açık, hilal şeklinde bir koya kurulmuş bir kent bu. Şimdi de içindeki harikalardan birkaçını sayayım: kırlangıçbalıklarının yüzüşlerini ve uçuşlarını izlemeye ve bunlardan kehanetler çıkarmaya yarayan katedral yüksekliğinde kocaman bir havuz; yapraklarıyla rüzgârda arp çalan bir palmiye; ve bir meydan; etrafında, üstü mermer yiyecek ve içecekle donanmış, örtüsü bile mermerden, atnalı biçiminde mermer bir masa kurulu.

– Dalmış olmalısın Han'ım. Sözümü kestiğinde tam da bu kenti anlatıyordum sana.

– Biliyor musun onu? Nerede? Adı ne?

– Ne adı var ne yeri. Onu neden anlatıyordum bir daha açıklayayım sana: ögeleri, onları birbirine bağla-

yan bir mantık olmaksızın bir iç kuraldan, bir perspektif, bir hikâyeden yoksun bir şekilde yığılmış kentleri, düşlenebilir kentlerin sayısından düşmek gerekir. Kentlerle ilişkimiz rüyalarla olduğu gibidir: hayal edilebilen her şey aynı zamanda düşlenebilir, oysa en beklenmedik rüyalar bile bir arzuyu, ya da arzunun tersi, bir korkuyu gizleyen resimli bir bilmecedir. Kentleri de rüyalar gibi arzular veya korkular kurar; söylediklerinin ana hattı gizli de olsa, kuralları saçma, verdiği umutlar aldatıcı, her şey, başka bir şeyi gizliyor olsa da.

– Ne arzularım, ne de korkularım var benim, – dedi Han – benim düşlerimi ya düşünce, ya da rastlantılar oluşturur.

– Kentler de düşüncenin ya da rastlantının eseri olduklarını sanırlar hep, ama ne biri, ne öteki ayakta tutmaya yeter onların surlarını. Bir kentte hayran kaldığın şey onun yedi ya da yetmiş yedi harikası değil, senin ona sorduğun bir soruya verdiği yanıttır.

– Ya da onun sana sorduğu ve ille de yanıtlamanı beklediği sorudur, tıpkı Thebai'nin Sfenks'in ağzından sorduğu soru gibi.

Kentler ve arzu 5

Oradan çıkıp altı gün yedi gece yol gidersen, ay ışığına sereserpe uzanmış, sokakları bir yün yumağı gibi birbiri üzerine dolanan beyaz kente, Zobeide'ye varırsın. Kentin kuruluşu hakkında anlatılan şu: çeşitli ulusların erkekleri aynı düşü, bir kadını, gece vakti, bilmedikleri bir kentte, sırtı dönük koşarken görmüşler, uzun saçlı ve çıplakmış kadın. Onu izlediklerini düşlemişler. Dönmüşler, dolaşmışlar, hepsi kaybetmiş onu. Uyandıklarında o kenti aramaya çıkmışlar; kenti bulamamışlar ama birbirlerini bulmuşlar; düştekine benzer bir kent kurmaya karar vermişler. Yolları düzenlerken her biri, kadını kovalarken izlediği yolu yinelemiş; kaçağın izini kaybettiği noktada, mekân ve surları, düştekinden çok farklı, kadının bir daha kendisinden kaçamayacağı biçimde düzenlemiş.

Bir gece aynı sahnenin yinelenmesini bekleyerek yerleştikleri Zobeide kenti buydu işte. Hiçbiri, ne uykuda, ne de uyanıkken bir daha asla görmedi kadını. Kentin yolları, hepsinin her gün işe gidip geldikleri, düşteki kovalamaca ile hiçbir ilgisi kalmamış yollardı artık. Zaten o düş de çoktan unutulmuştu.

Onlarınkine benzer bir düş gören yeni erkekler geldi başka ülkelerden, Zobeide kentinde düşteki yollardan birşeyler buluyor, peşinde oldukları kadının izlediği yola iyice benzesin, kaybolduğu noktada kadına hiçbir kaçış yolu kalmasın diye kemerlerin, merdivenlerin yerini değiştiriyorlardı.

Kente ilk gelenler, bu insanları Zobeide'ye, bu çirkin, tuzak kente çeken şeyi anlayamıyorlardı.

Kentler ve göstergeler 4

Yolcunun uzak diyarlarda göğüsleyeceği değişik dillerden hiçbiri, Ipazia'da onu bekleyenle boy ölçüşemez, zira oradaki değişiklik sözlerle değil şeylerle ilgili. Ipazia'ya bir sabah vakti girdim, bir manolya bahçesi yansımıştı mavi göllere, yıkanan genç güzel kadınlara rastlayacağımdan emin çalılar arasında yürüyordum: ama suyun dibinde, boyunlarına taş bağlı, saçları yosunlarla yemyeşil, canına kıymış kadınlar gördüm, yengeçler yiyorlardı gözlerini.

Aldatılmış hissettim kendimi, sultandan adalet istemeye karar verdim. Kubbeleri en yüksek yapıyı bulup mermer merdivenleri tırmandım, çini döşeli, fıskiyeli altı avlu geçtim. Ortadaki salon demir parmaklıklarla çevriliydi: ayaklarına kara zincirler bağlı mahkûmlar yeraltına açılan bir ocaktan bazalt kayaları çekiyordu yukarıya.

Filozoflara başvurmaktan başka çarem kalmamıştı. Büyük kütüphaneye girdim, parşömen ciltler altında yıkılacak gibi duran rafların arasında yitirdim kendimi, koridorlar, merdiven ve köprüler boyunca ine çıka yürüyerek kaybolmuş alfabelerin alfabetik sırasını izledim. En uzak papirüs bölmesinde, bir duman bulutu içinde, ağzına yapışık haşhaş piposuyla hasıra uzanmış toy bir gencin bulanık gözleri çıktı karşıma.

– Bilgin nerede? – Pencerenin dışını gösterdi tiryaki genç. Bir çocuk oyunları bahçesiydi: çelik çomak, tahterevalli, topaç. Filozof çimenlere oturmuştu. Şöyle dedi:

– Göstergeler oluşturur bir dili, ama bildiğini sandığın dil değildir o –. O ana dek, aradığım şeyleri tanımamı sağlayan imgelerden kurtulmam gerektiğini anladım: Ipazia'nın dilini ancak o zaman kavrayabilirdim.

Şimdi atların kişnediğini, kırbaçların şakladığını duymam yetiyor, bir titreme sarıyor içimi hemen: Ipazia'da, çıplak bacakları ve konçları baldırlarına dek uzanan çizmeleriyle at binen güzel kadınlar görmek için ahırlara ve galop pistlerine girmelisin; genç bir yabancının yaklaştığını görür görmez onu saman ya da yonga yığınlarının üzenine yatırır, sert meme uçlarıyla üzerine abanırlar.

Ve de ruhumun istediği tek dürtü, tek besin müzik olduğunda bilirim ki mezarlıklarda aramalıyım onu: müzisyenler mezarlarda saklanır; bir çukurdan ötekine flüt trilleri, arp akorları konuşur karşılıklı.

Eminim Ipazia'da da bir gün gelecek, tek arzum gitmek olacak. Biliyorum limana inmek yerine kalenin en yüksek burcuna çıkıp orada, bir gemi geçsin diye beklemeliyim. Geçecek mi acaba? Hiçbir dil yoktur ki aldatmasın.

İnce kentler 3

Armilla yarım kaldığından ya da yıkıldığından mı böyle, yoksa bu işin altında bir büyü ya da sadece bir kapris mi var bilemiyorum. Gerçek şu ki kentin ne duvarları, ne tavanları, ne de döşemeleri var: evlerin bulunması gereken yerlerde diklemesine yükselen, katların bulunması gereken yerlerde kollara ayrılan su borularının dışında onu kente benzetecek başka şey de yok: musluk, duş, troplen ve sifonlara bağlanan bir borular ormanı. Gökyüzüne karşı birkaç lavabo ya da banyo küveti ya da diğer fayanslar, dallara takılıp kalmış geçkin meyveler gibi beyaz beyaz parlıyor. Sanki su tesisatçıları işlerini bitirip, duvarcı ustaları gelmeden çekip gitmişler; ya da kurdukları dayanıklı tesisat bir felakete ya da bir depreme ya da akkarıncaların korozyonuna rağmen yaşayabilmiş.

İçinde oturulduktan önce ya da sonra terk edilmiş olsun, Armilla'nın ıssız bir yer olduğu söylenemez. Herhangi bir saatte borular arasından gözünü yukarı doğru kaldırdığında küvetlerde keyif çatan, boşluktaki duşlarda eğilmiş yıkanan, temizlenen, veya kurulanan, kokular sürünen ya da aynada uzun saçlarını tarayan orta boylu, ince bir veya birçok genç kadını fark etmen nadir bir şey değil. Duşlardan iplik iplik fışkıran, musluklardan oluk gibi akan, oraya buraya sıçrayan sular, süngerlerin köpükleri pırıl pırıl parlar güneşte.

Şuna karar verdim sonunda: Armilla'nın borularında akan sular orman ve su perilerinin yönetiminde kalmış.

Yeraltı damarları boyunca yaşamaya alışkın olduklarından, yeni su diyarına girmek, binlerce kaynaktan fışkırmak, yeni aynalar, yeni oyunlar bulmak, suyun keyfini çıkarmanın yeni yollarını keşfetmek kolay gelmiş onlara. Kimbilir belki de onların istilası kaçırmıştır insanları; bir başka olasılık da şu ki Armilla insanlar tarafından bir adak gibi kurulup, sularına el konmasına gücenen su perilerine, gönüllerini almak için armağan edilmiş. Her ne olduysa olmuş, şimdi önemli olan şu ki küçük kadınlar memnun görünüyor hayatlarından: şarkıları duyuluyor sabahları.

Kentler ve takas 2

Büyük kent Cloe'nin sokaklarından geçen insanlar birbirini tanımaz. Birbirlerini gördüklerinde, her biri diğeri için binlerce şey hayal eder: gerçek olabilecek buluşmalar, sohbetler, sürprizler, okşamalar, ısırmalar. Ama kimse kimseyi selamlamaz, bakışlar bir an için karşılaşır sonra kaçırırlar kendilerini, başka bakışlar ararlar, hiç durmazlar.

Omuzuna dayadığı şemsiyesini çevire çevire bir genç kız geçer, yuvarlak kalçalarını da oynatır hafifçe. Tül peçesinin altında tedirgin gözleri ve titreyen dudaklarıyla tüm yıllarını gösteren, siyahlar giyinmiş bir kadın geçer. Dövmeli bir dev geçer; bembeyaz saçlı genç bir adam; bir cüce kadın; mercandan elbiseler giymiş ikizler. Bir şey gelip gider aralarında, bir figürü diğerine bağlarken oklar, yıldızlar, üçgenler yaratan çizgilere benzer bir bakış alışverişidir bu; bir anda bütün şekiller tükeninceye kadar sürer ve yeni kişiler girer sahneye: boynuna zincir bağlı parsıyla kör bir adam, devekuşu tüyünden yelpazesiyle hafifmeşrep bir kadın, bıyıkları yeni terlemiş bir delikanlı, tombul iriyarı bir kadın. Yağmurdan korunmak için bir kemerin altında tesadüfen biraraya gelenler, ya da çarşıda bir tentenin altına doluşanlar ya da meydanda çalan orkestrayı dinlemek üzere duranlar arasında buluşmalar, baştan çıkarmalar, çiftleşmeler, çoğul sevişmeler tüketilir böylece, tek kelime etmeksizin, birbirine parmağını bile değmeksizin, bakışlarını neredeyse hiç kaldırmaksızın.

Kentlerin en iffetlisi Cloe'yi şehvetli bir titreme sarsalar sürekli. Eğer erkek ve kadınlar o kısacık düşlerini yaşamaya kalkışsalar, her hayal bir kovalamaca, bir aldatmaca, bir anlaşmazlık, karşıtlık ve baskı hikâyesinin yaşanmaya başlayacağı bir insana dönüşürdü, ve hayallerin atlıkarıncası duruverirdi.

Kentler ve gözler 1

Eskiler Valdrada'yı bir gölün kıyıları üstüne, birbiri üzerine binmiş veranda evler, demir korkulukları suları gören yüksek yollar yaparak kurmuşlar. Öyle ki yolcu gelirken iki kent görür: biri göl üzerindeki doğru kent, diğeri başaşağı bir yansıma. Bir Valdrada'da bulunan ya da yaşanan hiçbir şey yoktur ki öteki Valdrada yinelemesin, zira kent her noktasının kendi aynasında yansıyacağı biçimde kurulmuş böylece aşağıda, sudaki Valdrada göl üzerinde yükselen bina cephelerinin fuga ve kabartmalarını içermekle kalmıyor; tavanları, döşemeleri, koridor derinlikleri, dolap aynalarıyla odaları da içeriyor.

Valdrada sakinleri, yaptıkları her hareketin, hareketin kendisi ve onun, imgelerin özel soyluluğuna bürünen yansımalı imgesiyle birlikte bir bütün oluşturduğunu bilir, ve bu bilinç kendilerini bir an bile rastlantı ve unutuluşa bırakmamalarını sağlar. Aşıkların ten tene çıplak gövdeleriyle kıvranırken birbirlerinden daha çok zevk almak için nasıl durmaları gerektiğini aramalarında, katillerin boyundaki siyah damarlara bıçağı soktuklarında kıvamlı kan ne denli taşarsa tendonlar arasında kayan çeliği o denli derinlere gömmelerinde önemli olan, onların çiftleşmeleri ya da birbirini öldürmelerinden çok kendi berrak ve soğuk imgelerinin aynada çiftleşmeleri ya da birbirlerini aynada öldürmeleridir.

Bazen şeylerin değerini büyütür, bazen yadsır ayna. Aynanın yüzeyinde değerli görünen her şey yansımaya dayanamaz. Bu İkiz kentler aynı değildir, çünkü Valdrada'da bulunan ve yapılan hiçbir şey simetrik değil: her yüze ve her harekete aynadan tüm ayrıntısıyla başaşağı bir yüz ve başaşağı bir hareket cevap verir. İki Valdrada, birbirleri için yaşarlar, hep gözgözedirler ama sevmezler birbirlerini.

Düşünde bir kent gördü Yüce Han: Marco Polo'ya anlatıyor:

– Gölgede, kuzeye açık bir liman. Doklar duvarlarına çarpan siyah suların üzerinde yükseliyor; yosun kaplı, kaygan taş merdivenler iniyor suya. Katran sıvanmış henüz bağlı kayıklar rıhtımda aileleriyle ağır ağır vedalaşan yolcuları bekliyor. Veda sahneleri sessizlik içinde geçiyor; gözyaşı var sadece. Hava soğuk; herkesin başında şallar var. Kürekçinin çağrısı son veriyor oyalanmalara; yolcu soğuktan büzüşmüş pruvada, geride kalanlar kalabalığına bakarak uzaklaşıyor; daha şimdiden seçilmez oldu hatları kıyıdan; sandal, demirlemiş bir gemiye yanaşıyor; küçülmüş bir figür tırmanıyor merdivene; sonra kayboluyor; loka deliğini sıyıran paslı zincirin gıcırtısı duyuluyor. Geride kalanlar, burunu dönünceye dek gemiyi izleyebilmek için rıhtımdaki kayalığın üstündeler, büyük duvarlara dayanmışlar; beyaz bir bez parçası sallıyorlar son kez.

– Hemen yola çık, – der Marco'ya Han, bütün kıyıları ara ve bul bu kenti. – Sonra dön ve rüyam gerçeğe uyuyor mu söyle bana.

– Bağışla beni efendimiz: er veya geç o rıhtıma çıkacağım kuşkusuz – der Marco, ama dönüp sana anlatamayacağım onu. Böyle bir kent var, ve de basit bir sırrı var: yalnız gidişleri bilir, dönüşleri bilmez.

IV

Piposunun amber sapına sıkı sıkıya yapışmış dudakları, ametist yakalığına dayanmış sakalı, ipek terliklerinin içinde sinirle kasılmış başparmaklarıyla Kubilay Han tepki vermeksizin dinliyordu Marco Polo'nun anlattıklarını. Yüreğine ağır bir hüzün bulutunun indiği gecelerden biriydi.

– Senin kentlerinin hiçbiri yok. Belki de hiç olmadılar. Artık olmayacakları da kesin. Neden eyleniyorsun bu avutucu masallarla? İmparatorluğumun bataklıktaki bir ceset gibi çürüdüğünü ve bataklığın, gagasıyla onu didikleyen kargalara, kirli sularıyla beslenen sazlara hastalığını bulaştırdığını zaten biliyorum ben. Neden bunlardan söz etmiyorsun bana? Neden yalan söylüyorsun Tatarların imparatoruna, yabancı?

Polo, Hükümdar böyle keyifsiz olduğunda ne yapması gerektiğini biliyordu. – Evet, imparatorluk hasta ve işin kötüsü, yaralarına alışmaya çalışıyor. Benim yolculuklarımın amacı şu: zar zor da olsa hâlâ seçilebilecek mutluluk izlerini tarayarak, mutluluğun kıtlığını saptıyorum. Etrafında ne kadar karanlık var bunu bilmek istiyorsan, gözlerini kısıp uzak, zayıf ışıklara bakmalısın.

Kimi zaman da coşku nöbetlerine tutuluyordu Han. Yastıklar üzerinde doğruluyor, ayakları altına serili halıları koca adımlarla arşınlıyor, sedir ağaçlarına asılı fenerlerin aydınlattığı geniş saray bahçelerine sanrılı gözlerle hükmetmek için, gidip terasların korkuluklarına dayanıyordu.

– Biliyorum ben, – diyordu, – benim imparatorluğumun ana maddesi kristal aslında ve de moleküllerini kusursuz bir biçime ayarlıyor. Kaynayan elementlerin ortasında nefis, sert mi sert bir elmas biçimleniyor, zengin kesimli, saydam, devasa bir dağ. Senin yolculuk izlenimlerin neden bu önüne geçilmez süreci yakalamıyor da moral bozucu görüntülere takılıyor? Neden önemsiz hüzünlere kapılıyorsun? Yazgısının büyüklüğünü neden gizliyorsun imparatordan?

Ve Marco: – Senin bir tek işaretinle Han'ım, benzersiz ve son kent lekesiz surlarını yükseltirken ben, ona yer açmak için yok olan ve bir daha asla kurulamayacak, asla hatırlanamayacak diğer olası kentlerin küllerini topluyorum. Ancak hiçbir değerli taşın telafi edemeyeceği mutsuzluk artığını anlarsan elmasın sonuçta kaç karata ulaşması gerektiğini hesaplayabilirsin, yoksa hesapların daha baştan yanlış olacaktır.

Kentler ve göstergeler 5

Onu betimleyen söylemle asla karıştırılmamalı bir kent, kimse bunu senden iyi bilemez bilge Kubilay. Gene de bu ikisi arasında bir ilişki vardır. Eğer sana üretimi ve kazancıyla zengin kent Olivia'dan söz ediyorsam kentin refahını anlatmak için yapabileceğim tek şey çift kemerli pencere önlerindeki ipek püsküllü minderler serpiştirilmiş sedirleriyle telkâri saraylardan söz etmek; bir avlunun kafesli kapısı ardında uzanan, üzerinde beyaz bir tavus kuşunun kuyruğunu açtığı çimenliği döner su fıskiyeleri suluyor. Ama sen bu konuşmadan Olivia'yı evlerin duvarlarına yapışan bir kurum ve yağ bulutunun sardığını, kalabalık yollarda manevra yapan römorkların yayaları duvarlara sıkıştırıp ezdiğini hemen anlarsın. Kent sakinlerinin çalışkanlığından söz etmem gerektiğinde, deri kokan eyerci dükkânlarından, rafya kilim dokurken çene çalan kadınlardan, çağlayan sularıyla değirmen kanatlarını döndüren asma kanallardan söz ederim: oysa bu sözlerin senin aydın bilincine çağrıştırdığı imge, her vardiya için belirlenmiş mesai süresinde binlerce elin binlerce kez yinelediği, frezenin dişlerini objeyi tutan bileziğe yaklaştıran harekettir. Olivia'nın ruhunun özgür bir yaşam ve incelmiş bir uygarlığa nasıl yatkın olduğunu anlatmam gerektiğinde, geceleri yeşil bir nehir ağzının kıyıları boyunca, ışıklandırılmış kanolarda şarkı söyleyerek gezinen hanımefendilerden söz ederim sana; ama bütün bunlar yalnızca sana, kentin kenar mahallelerinde, her gece uyurgezerler gibi dizi dizi karaya çıkan erkek ve kadınların arasında, karanlıkta kahkahadan kırılarak daima bir şaka ve alay tufanı başlatan birinin varlığını anımsatmak içindir.

Şunu bilmiyorsun belki: Olivia'dan başka türlü söz etmem olanaksız. Çift kemerli pencereleriyle, tavus kuşlarının yaşadığı, eyerci dükkânları ve kilim dokuyanları, kanoları ve nehir ağızlarıyla bir Olivia gerçekten var olsaydı, sineklerin yuvalandığı sefil, kara bir delik olurdu, ve onu sana anlatmak için kurum, tekerlek gıcırtıları, yeknesak hareketler, alay gibi mecazlara başvurmak zorunda kalırdım ben. Yalan, sözlerde değil 'şey'lerdedir.

İnce kentler 4

Sofronia iki yarım kentten oluşuyor. Birinde iki büyük kamburuyla sekiz çizen raylar üzerinde inip çıkan ölüm treni, zincirlerin döndürdüğü atlıkarınca, dönme dolap, yerçekimine meydan okuyan motorları üzerine kapanmış ölüm motosikletçileri, tepesinden trapez salkımı sallanan sirk çadırının kubbesi var. Diğer yarım kent, bankası, fabrikaları, büyük binaları, mezbahası, okulu ve geri kalan tüm şeyleriyle taş, mermer ve çimentodan. Yarım kentlerin birisi sabit diğeri geçici ve süresi dolduğunda çivilerini söküp parça parça ayırarak başka bir yarım kentin boş alanlarında kurulmak üzere alınıp götürülüyor.

Böylece her yıl, bir gün geliyor, amele mermer alınlıkları söküyor, taş duvarları ve çimento pilonları indiriyor, bakanlığı, anıtı, dokları, petrol rafinerisini, hastaneyi söküyor, römorklara yüklüyor, bir meydandan diğerine her yıl izlediği yolu izliyor. Atış pavyonları, atlıkarıncaları, ölüm treninin başaşağı vagonuna asılmış bir çığlıkla yarım Sofronia kalıyor burada ve kervanın dönmesi, yaşamın terar başlaması için beklemesi gereken kaç gün, kaç ay var saymaya başlıyor.

Kentler ve takas 3

Başkenti Eutropia olan topraklara girdiğinde yolcu, geniş ve dalga dalga bir yaylaya dağılmış, aynı büyüklükte, pek de farklı olmayan, bir değil, birçok kent görür. Eutropia bunlardan biri değildir, bu kentlerin tümü birlikte Eutropia'dır; yalnız bir tanesinde oturulur diğerleri boştur; sıraya bindirilmiş bu. Nasıl, anlatayım: Eutropia sakinleri üzerlerinde müthiş bir yorgunluk hissettiklerinde ve kimsenin artık mesleğine, akrabalarına, evine ve sokağına, borçlarına, selamlanacak ya da selamladığı kişilere katlanamadığı gün, kentin tüm nüfusu boş ve yeni gibi orada onları bekleyen, herkesin değişik bir meslek, değişik bir karı bulacağı, pencereyi açtığında değişik bir manzara göreceği, akşamları vaktini başka şeyler, başka arkadaşlıklar, başka dedikodularla geçireceği komşu kente yerleşmeye karar verirler. Genel görünüşü ya da eğimi, su yolları ya da rüzgârları açısından biri ötekinden biraz farklı görünen kentler arasında taşına taşına yenilenir böylece yaşamları. Toplum yapıları çok büyük refah ve yetki farklılıkları üzerine kurulmadığından, bir işlevden diğerine geçiş neredeyse sarsıntısız olur; çeşitliliği sağlayan değişik işlerin çokluğudur; öyle ki birinin, yaşamı süresince daha önce kendisinin olmuş bir mesleğe döndüğü nadiren görülür.

Böylece kent farksız bir yaşamı, kendi satranç tahtasının boş kareleri içinde, bir aşağı bir yukarı yer değiştirerek yineler: kent sakinleri geri döner, aynı sahneleri değişik oyuncularla oynar; vurguları değiştirerek aynı fıkraları anlatır, ağızlarını aynı esnemelerle açarlar alabildiğine. İmparatorluğun tüm kentleri arasında hep kendine benzer kalan tek kent Eutropia. Maymun iştahlıların tanrısı Merkür kutsal saydığı kent için bu anlaşılmaz mucizeyi düşünmüş.

Kentler ve gözler 2

Zemrude kentine biçimini veren ona bakan kişinin keyifli ya da keyifsiz olmasıdır. Kentten, burunun ıslığının arkasına takılmış, ıslık çalarak geçersen aşağıdan yukarıya tanırsın onu: pencere önleri, uçuşan perdeler, fıskiyeler. Eğer çenen göğsünde, tırnaklarını avuçlarına geçirmiş yürüyorsan bakışların yere, yol kenarında akan sulara, kanalizasyon kapaklarına, balık kılçıklarına, kâğıtlara takılır kalır. Kentin hangi yanının diğerinden daha gerçek olduğunu bilemezsin, oysa yukarı Zemrude'yi en çok konuşanlar, her gün aynı sokakların aynı yerlerini geçip her sabah, bir önceki günün moral bozukluğunu duvar diplerine sıvanmış bularak, aşağı Zemrude'ye gitgide batarken onu hatırlayanlardır. Er geç bir gün gelir hepimiz bakışlarımızı yağmur olukları boyunca yukarıdan aşağıya indiririz ve sokak taşlarından hiç ayıramayız bir daha. Bunun tersi de olmaz değil, ama daha seyrek; bu yüzden Zemrude sokaklarını, artık yerin altına inen, kilerleri, temelleri, kuyuları bulup çıkaran gözlerle dolaşmayı sürdürürüz.

Kentler ve ad 1

Kent sakinlerinin öteden beri anlatıp durdukları şeyler dışında, pek az şey söyleyebilirim sana Aglaura hakkında: deyimleşmiş bir dizi erdem, bir o kadar deyimleşmiş kusur, birkaç tuhaflık, kurallar için yaşayan birkaç huysuz insan. Hakikati söylediklerini kabul etmememiz için hiçbir neden bulunmayan eski gözlemciler, eminim kendi zamanlarına ait birçok kentin niteliklerinden hareketle Aglaura'ya çeşitli kalıcı ve çeşitliliği içinde uyumlu nitelik vermişler. Ne konuşulan Aglaura ne görünen Aglaura o günden beri pek değişmemiş olabilir ama, garip olan sıradan; tuhaf olan normal olmuş, ve erdemlerle kusurlar değişik düzendeki bir erdem ve kusur konçertosunda değerlerini ya da onursuzluklarını yitirmişler. Bu durumda Aglaura ile ilgili söylenen hiçbir şey gerçek olmuyor. Orada yaşayarak varılacak gelişigüzel yargıların doğruluk derecesi çok düşük olmakla birlikte gene de sağlam ve toplu bir kent imgesi çıkarabilir bütün bunlardan insan. Sonuç şu: konuşulan kent varolmak için gerekli olandan çok daha fazlasına sahipken onun yerinde varolan kent onun kadar varolamıyor.

Demek ki Aglaura'yı, kendim ne gördüm, ne yaşadım, buna dayanarak anlatmaya kalksam, sana solmuş, hiçbir niteliği olmayan, oraya, öylesine kurulmuş bir kentten söz etmem gerekecek. Bu da doğru olmazdı: bazı saatlerde, sokakların bazı kısımlarında, hiçbir şeyle karıştırılamayacak kadar özel, nadir, hatta olağanüstü bir şeyin kuşkusunun açıldığını görürsün önünde; nedir, bilmek istersin, ama şimdiye dek Aglaura için söylenmiş şeyler hapseder sözcükleri ve söylemeye değil tekrar etmeye zorlar seni.

Bu yüzden kent sakinleri, yalnızca Aglaura adı üzerinde büyüyen bir Aglaura'da yaşadıklarını sanırlar hep ve toprakta büyüyen Aglaura'yı fark etmezler. Bu iki kenti belleğimde ayrı tutmayı isteyen ben de sonuçta bir tek Aglaura'dan söz etmek zorunda kalırım sana, çünkü ötekinin anısı, o anıyı sabitleştirecek sözcüklerin yokluğunda dağılıp gitti.

– Bundan böyle kentleri ben anlatacağım sana, – demişti Han. – Bunlar gerçekten var mı, sen de onu araştıracaksın yolculuklarında.

Oysa Marco Polo'nun gidip gördüğü kentler imparatorun düşündüklerinden daima farklıydı.

– Gene de bütün olası kentleri çıkarabileceğim bir model-kent yarattım ben kafamda, – dedi Kubilay. Normlara uygun olan her şey var içinde. Varolan kentler normdan derece derece uzaklaştıklarından, norma göre ayrık olabilecek her şeyi öngörüp bunların olası bileşimlerini hesaplamak yetiyor bana.

– Ben de diğer bütün kentleri kendisinden çıkarabileceğim bir model-kent düşündüm, – diye cevap verdi Marco. – Sadece ayrıklardan, yasaklardan, zıtlık, tutarsızlık ve saçmalardan oluşan bir kent. Varolma olasılığı en düşük olanlar eğer böyle kentlerse, anormal ögelerin sayısı azaltılarak kentin gerçekten varolma olasılıkları artırılabilir. Bu durumda benim yapmam gereken ayrıkları modelimden çıkarmak; ama hangi sırayı izlersem izleyeyim, gene de ayrıklık yolunda varolan kentlerden birinin karşısında bulurum kendimi. Ama belli bir noktanın ötesinde zorlayamam bu işlemi: gerçek olamayacak kadar gerçeğe benzer kentler bulurum sonra.

V

Yüce Han yüksek korkuluklara dayanmış, imparatorluğun büyüyüşünü seyrediyor. Zapt edilen toprakları içine alarak sınır çizgileri genişlemişti önce, ama ilerleyen askerler yarı ıssız bölgelere kırık dökük kulübeleriyle yoksul köylere, pirincin büyümeyi reddettiği tarlalara, sıska halklara, kurumaya yüz tutmuş nehirlere, kamışlara rastlıyordu. "İmparatorluğum dışa doğru çok büyüdü, içerde büyümesinin zamanı geldi artık" – diye düşünüyordu Han ve de kabuğunu zorlayan olgun meyveleriyle nar ağaçlarının doldurduğu bahçeleri, yağları damlayarak şişte kızaran yabanöküzlerini, yamaçlarda heyelanlarla yüzeye çıkmış, altın parçalarıyla parıldayan maden damarlarını düşlüyordu.

Bollukla geçen mevsimler buğday ambarlarını tıka basa doldurmuştu. Kabaran nehirler saray ve tapınakların bronz çatılarını taşıyacak kütükleri sürüklemişti. Esir kervanları serpantin dağlarını kıtanın bir ucundan ötekine taşımıştı. Yüce Han tüm ağırlıklarıyla dünyanın ve insanlığın üstüne çökmüş kentlerle kaplı, zenginlik ve tıkanıklıkla yüklü, süs ve görevlerle tıkış tıkış, mekanizma ve hiyerarşi ile karmakarışık, şiş, gergin, ağır bir imparatorluğu seyrediyor.

"İmparatorluğu böyle pestil gibi ezen kendi ağırlığı", diye düşünüyor Kubilay ve uçurtmalar gibi hafif kentler, dantel gibi delikli kentler, cibinlikler gibi saydam kentler, yaprak damarlarına, el çizgilerine benzer

nervür kentler, opak, aldatıcı kalınlıkları içinden bakıldığında görülen telkâri kentler giriyor artık rüyalarına.

– Bu geceki rüyamı anlatayım sana, – diyor Marco'ya. Meteor taşları ve kaya kitleleri saçılmış düz ve sarı bir toprak alanın ortasında, konik ve piramit çatılardan oluşan bir kentin ince uzun çan kuleleri ve bütün doruklarıyla yükseldiğini görüyordum uzakta. Sivri doruklar öyle yapılmıştı ki Ay yolculuğu sırasında, sırayla her birinin üzerinde durabilsin, ya da vinçlerin kablolarına asılıp sallanabilsin.

– Düşünde gördüğün kent Lalage –, dedi Polo. Gecenin semasında Ay'ın molaları için birer davetiye gibi duran dorukları, kent sakinleri, Ay kentteki her şeye büyüme, durmadan büyüme şansı versin diye düşünmüşler.

– Senin bilmediğin bir şey var, – diye ekledi Han. – Duyduğu minnet borcuyla Ay, Lalage kentine çok ender bir ayrıcalık tanımış: hafiflikte büyümek.

İnce kentler 5

İnanmaya hazırsanız, ne iyi. Örümcek ağı kent Ottavia'nın nasıl olduğunu anlatacağım. İki sarp dağ arasında bir uçurum var: kent boşlukta duruyor, bir doruktan ötekine halatlar, zincirler ve tahta köprülerle bağlanmış. Küçük tahta traversler üzerinde boşluklara basmamaya dikkat ederek yürüyor insan, ya da kenevir ilmiklere tutunuyor. Aşağıda, yüzlerce, binlerce metre hiçbir şey yok: birkaç bulut geçiyor; uçurumun dibi zar zor seçiliyor.

Kentin temeli bu: geçit ve destek gibi kullanılan bir ağ. Geri kalan her şey yukarıya yükseleceği yerde aşağıya sarkıyor: ip merdivenler, hamaklar, çuval evler, vestiyerler, küçük teknelere benzeyen teraslar, su mataraları, gaz lambaları, kebap şişleri, sicimlere bağlı sepetler, yük asansörleri, duşlar, trapezler, oyun çemberleri, teleferikler, avizeler, sarkan yapraklarıyla çiçek saksıları.

Ottavia sakinlerinin boşluğa asılı yaşamları diğer kentlerdekine oranla çok daha güvenli. Herkes biliyor ki ağ daha fazlasını taşımayacak.

Kentler ve takas 4

Ersilia'da oturanlar kentin yaşamını ayakta tutan bağları belirlemek için evlerin köşeleri arasına, renkleri akrabalık, takas, otorite, temsil ilişkilerine göre değişen, beyaz veya siyah veya gri veya siyah-beyaz ipler gererler. İpler artık aralarından geçilemeyecek kadar çoğaldığında çekip giderler. Evler parça parça sökülür; ipler ve dayakları kalır yalnızca.

Ersilia'yı terk edenler tüm ev eşyalarıyla konakladıkları bir tepenin eteğinden ovada yükselen kazık ve ip kargaşasına bakarlar. Ersilia kenti hâlâ odur, kendileri ise bir hiç.

Ersilia'yı başka yerde yeniden kurarlar. Eskisinden daha karmaşık olmakla birlikte kurallara daha uygun olmasını istedikleri aynı şekli dokurlar iplerle. Sonra onu da terk eder, kendilerini ve evleri daha da uzaklara taşırlar.

İşte bu yüzden Ersilia topraklarından geçerken dayanıksız duvarları yıkılmış, rüzgârın savurduğu ölü kemiklerinden yoksun, terk edilmiş kent kalıntıları görürsün: bir biçim arayan karmakarışık ilişkilerin örümcek ağları.

Kentler ve gözler 3

Koruluklar içinde yedi gün yürüyüp Bauci'ye giden kişi onu göremez, oysa gelmiştir. Birbirinden oldukça uzakta, yerden yükselen ve bulutların üzerinde gözden kaybolan ince direkler taşır kenti. Yukarıya merdivenlerle çıkılır. Yerde nadiren görülür Bauci sakinleri: gerekli her şey vardır yukarıda, bu yüzden aşağıya inmemeyi yeğlerler. Dayandığı o uzun flamingo bacakları ve aydınlık günlerde yaprakların üzerine düşen köşeli, dantel bir gölgenin dışında kente ait hiçbir şey değmez yere.

Bauci sakinleri ile ilgili üç varsayım var: Dünya'dan nefret ettikleri; ya da onu her türlü temastan kaçınacak kadar saydıkları; Dünya'yı kendilerinden önceki haliyle sevdikleri ve de dürbün ve teleskoplarını aşağıya çevirip kendi yokluklarını hayranlıkla seyrederek, tek tek her yaprağı, her taşı, her karıncasıyla, bıkıp usanmadan onu inceledikleri.

Kentler ve ad 2

Leandra'yı iki cins tanrı korur. İki cins de o kadar küçüktür ki gözle görülemez, sayıları o kadar çoktur ki sayılamaz. Cinslerden biri evlerin kapıları üstünde, içeride, vestiyer ve şemsiyeliklere yakın yerlerde yaşar; taşınmalarda aileleri izler ve anahtar tesliminde hemen yeni evlerine yerleşirler. Diğer cins mutfaklarda yaşar, daha çok kap kacak altlarında, şömine kapaklarında, ya da süpürgelerin durduğu köşelerde saklanır: evin bir parçasıdırlar, o evde yaşayan aile çekip gittiğinde yeni kiracılarla kalırlar; belki de o ev daha ortada bile yokken, onlar boş arsanın otları arasında, paslı bir konserve kutusunun içinde saklı oradaydılar; evin yıkıldığını, yerine elli ailelik dev bir blok kurulduğunu düşünelim, o kadar dairenin bir o kadar mutfağında çoğalmış bulursunuz onları. Bu iki cinsi birbirinden ayırmak için birine Penatlar, diğerine Larlar diyelim isterseniz.[1]

Aynı ev içinde Larların ille de Larlarla, Penatların Penatlarla olmaları gerekmez: birbirleriyle görüşürler, duvar çıkıntıları, radyatör boruları üzerinde birlikte dolaşırlar; aile sorunları hakkında görüşlerini bildirirler; kolayca kavga ederler ama yıllar boyu iyi anlaştıkları da görülmez değil; hepsini yanyana görseniz hangisi biri hangisi öteki ayırt edemezsiniz. Larlar kendi duvarları arasından farklı yerlerden gelmiş, alışkanlıkları farklı nice Penatların gelip geçtiğini gördüler kaç kez; Penatla-

---

(1) Antik Roma inanışında "aile" ve "ocak" tanrıları. (ç.n.)

rın kaderi, görkemini yitirmiş zengin evlerin kendini beğenmiş Larları ya da yoksul evlerin, kimseye güvenmeyen, alıngan Larları ile dirsek dirseğe yaşayacakları bir yer bulabilmek.

Leandra'nın gerçek özü sonsuz bir tartışma konusu. Penatlar geçen yıl gelmiş olsalar da kentin ruhunun kendileri olduğuna ve de göç ettiklerinde Leandra'yı birlikte götüreceklerine inanıyorlar. Larlarsa Penatları gelip geçici, izansız, davetsiz misafirler gibi görüyorlar; kentteki her şeye biçimini veren, bu yabancılar gelmezden önce de burada olan ve herkes gittiğinde gene burada kalacak gerçek Leandra onların.

İki cinsin ortak yanı şu: aile içinde ve kentte olan biten ne varsa hepsi hakkında söyleyecek bir laf bulurlar hemen. Penatlar yaşlıları, büyük dedeleri, büyük teyzeleri, eski aileyi gündeme getirirler, Larlar da Penatlar mahvetmeden önce ortalık nasıldı bunu yâd ederler. Ancak bu demek değil ki sadece anılarla avunurlar: çocuklar büyüyünce ne olacaklar (Penatlar), şu ev ya da şu bölge iyi ellere düşse nasıl olurdu konusunda (Larlar) planlar yaparlar. Özellikle gece vakti biraz kulak kabartırsan Leandra'nın evlerinde hepsinin fısır fısır konuştuğunu, sürekli bir laf yarışında birbirlerine taşlamalar, oflamalar puflamalar, alaylı kahkahacıklar yolladıklarını duyarsın.

Kentler ve ölüler 1

Melania'da kent meydanına her girdiğinde, bir diyalogun ortasında bulur insan kendini: palavracı asker ve asalak, bir kapıdan çıkarken müsrif oğlan ve yosmayla karşılaşır; ya da çöpçatana bir not götürmeye giden aptal köle, kapı önünde tatlı kızına son uyarılarını yapan hasis babanın sözünü keser. Melania'ya yıllar sonra döndüğünde aynı diyalogun sürdüğünü görürsün; bu arada asalak, çöpçatan, hasis baba ölmüştür; onların yerini palavracı asker, tatlı kız, aptal köle almış, ancak onlar da sırası geldiğinde yerlerini hipokrit, sırdaş ve astroloğa bırakmıştır.

Melania halkı yenilenir: konuşmacılar birer birer ölür ve bu arada, kendi sıraları geldiğinde, şu ya da bu rolde, diyalogda yerlerini alacak olanlar doğar. Birisi rol değiştirdiğinde veya meydanı ebediyen terk ettiğinde ya da meydana ilk kez girdiğinde, bütün roller yeniden dağıtılıncaya kadar sürecek zincirleme değişiklikler başlar; ancak bu arada hiçbiri bir önceki sahnede kullandıkları ses ve gözleri aynen korumasa da şakacı hizmeçi, öfkeli ihtiyara laf yetiştirmeyi sürdürür; tefeci, mirastan mahrum kalan genci durmadan izler; dadı, üvey kızı hiç durmadan avutur.

Bazen tek bir konuşmacının aynı anda iki ya da daha çok rolü üstlendiği olur: tiran, hayırsever, ulak; bazen de bir rol ikiye bölünür, durmadan çoğalır yüzlerce, binlerce Melania sakinine verilir: hipokrite üç bin, hovardaya otuz bin, her şeyini yitirmiş saygı bekleyen kral oğullarına yüz bin.

Zamanla roller de artık eski rollerin tıpatıp aynısı değildir; aslında rollerin entrika ve ani sürpriz teknikleriyle geliştirdikleri aksiyon, düğüm iyice içinden çıkılmaz, engeller çoğalmış göründüğünde bile giderek yaklaşmayı sürdürdüğü bir çözüme mutlaka ulaşır sonunda. Bunu izleyen dakikalarda meydana bakan biri diyalogun her perdede değiştiğini anlar, ancak Melania'lıların yaşamı bunu fark edemeyecek kadar kısadır.

Marco Polo, tek tek her taşıyla bir köprüyü anlatıyor.

– Peki köprüyü taşıyan taş hangisi? – diye sorar Kubilay Han.

– Köprüyü taşıyan şu taş ya da bu taş değil, taşların oluşturduğu kemerin kavisi –, der Marco

Kubilay Han sessiz kalır bir süre, düşünür. Sonra ekler:

– Neden taşları anlatıp duruyorsun bana? Beni ilgilendiren tek şey var o da kemer.

– Marco cevap verir: – Taşlar yoksa kemer de yoktur.

VI

Kubilay Han, yüzüklerle bezenmiş elini saltanat kayığının ipek sayebanından dışarı uzatmış, kanallar üzerinde kemerlenen köprüleri, mermer eşikleri sulara gömülü görkemli binaları, uzun küreklerin yol verdiği hafif teknelerin zigzaglar çizerek gidip gelişlerini, pazarların kurulduğu meydanlara sepetler dolusu sebzeyi boşaltan mavnaları, balkonları, taraçaları, kubbeleri, çan kulelerini, lagünün kurşuni yüzünde zümrüt gibi parlayan adaların bahçelerini gösteriyor ve: — Buna benzer bir kent gördüğün oldu mu hiç —, diye soruyordu Marco Polo'ya.

İmparator hatırlı yabancının eşliğinde tahtını yitirmiş hanedanların eski başkenti Quinsay'ı, Yüce Han'ın tacına iliştirilmiş en son inciyi ziyaret etmekteydi.

Hayır efendimiz, — dedi Marco, — böyle bir kentin varlığını hayal dahi edemezdim.

İmparator gözlerinin içine bakmaya çalıştı. Yabancı kaçırdı bakışlarını. Kubilay gün boyu sessiz kaldı.

Gün battıktan sonra Marco Polo sarayın teraslarında yolculuklarının sonuçlarını aktarırdı hükümdara. Yüce Han'ın, yarı kapalı gözlerle, büyük keyifler alarak dinlediği bu hikâyelerle gecelerini geçirmesi; sonra da, ilk esnemesiyle birlikte uşaklara, İmparatorluk Uyku Bölmesi'ne dek hükümdara eşlik edecek meşaleleri yakmalarını emretmesi bir alışkanlık haline gelmişti. Ne var ki Kubilay, bu kez yorgunluğa yenilmeye pek niyetli görünmüyordu. — Bir kent daha anlat bana, — diye tutturdu.

— ... İnsan oradan yola çıkar, Greko ve Levante rüzgârları arasında üç gün at koşturur... — diye yeniden anlatmaya başlıyor, bir sürü diyarın adını, görenek ve mallarını sıralıyordu Marco. Dağarı tükenecek gibi değildi ama bu kez pes eden o oldu. Şafak sökmüştü ki: — Efendimiz, bildiğim kentlerin hepsini anlattım sana, — dedi.

— Hiç sözünü etmediğin bir kent kaldı.

Marco Polo başını eğdi.

— Venedik —, dedi Han.

Marco gülümsedi. — Bunca zaman ne anlattım sanıyorsun ki sana?

İmparator istifini bozmadı: — Hiç duymadım oysa adını andığını.

Ve Polo: — Ne zaman bir kent anlatsam Venedik'le ilgili bir şeyler söylüyorum.

— Sana başka kentleri sorduğumda onları anlatmanı isterim. Venedik'i sorduğumda da Venedik'i.

— Diğer kentleri anlamak, farklılığını kavramak istiyorsam gizli bir ilk kentten yola çıkmak zorundayım. Benim için bu, Venedik.

— Öyleyse yolculuklarınla ilgili her hikâyeyi yola çıktığın yerden başlatmalı, Venedik'i olduğu gibi, her şeyiyle, ondan hatırladığın hiçbir şeyi atlamaksızın anlatmalısın.

Gölün yüzeyi belli belirsiz kırışmıştı; Sunglar'ın antik sarayının bakır aksi suda parça parça kırılıyor, yüzen yapraklar gibi parıldıyordu.

— Belleğin imgeleri bir kez dile vurulup sözlerle sabitleşti mi silinip gider, — dedi Polo. — Belki de Venedik'i kaybetmekten, konuşarak onu bir çırpıda kaybetmekten korkuyorum. Kimbilir, başka kentlerden konuşurken azar azar çoktan kaybettim bile.

Kentler ve takas 5

Su kenti Smeraldina'da biri alttan biri üstten geçerek yer yer birbirini kesen bir kanal ve sokak ağı var. Bir yerden bir yere gitmek istediğinde karayolu ile kayık arasında daima bir seçim yapabilir insan: Smeraldina'da iki nokta arasındaki en kısa hat düz değil de, kıvrım kıvrım yan sokaklara bölünen bir zigzag olduğundan her geçenin önünde açılan sokaklar bir değil birçok, ve yolculuğunu kayık-toprak arası, sudan karaya çıkarak ve sonra tekrar bir kayığa atlayarak yapanlar için daha da çoğalıyor bu sokaklar.

İşte bu yüzden Smeraldina sakinleri her gün aynı yolları tepmenin verdiği sıkıntıyı bilmez. İşin güzel tarafı geçitler ağının tek bir yüksekliği izlemeyip merdivenler, kaşkemerler ve asma yollar boyunca alçala yüksele ilerlemesi. Yerden ya da yukarıdan geçen çeşitli sokak bölümlerinin bazı kısımlarını birleştiren her kent sakini, kendisini aynı yerlere götürecek yeni bir güzergâh bulma oyununu oynar her gün. Smeraldina'daki en tekdüze, en durgun yaşamlar kendilerini yinelemeden geçer.

Her yerde olduğu gibi burada da en çok kısıtlananlar gizil ve maceralı yaşamlardır. Smeraldina'nın kedileri, hırsızları, gizli âşıkları en yüksek, en kesintili sokakları kullanırlar; bir çatıdan diğerine zıplar, taraçalardan verandalara iner, akrobat adımlarıyla çörtenleri dolaşırlar. Daha aşağıda lağımların karanlığında fareler, biri diğerinin kuyruğunda, suikastçi ve kaçakçıların yanı sıra koşarlar: menhol kapaklarından, gerizlerden kafalarını uzatır, duvar içlerindeki gizli tünellerde ve çıkmaz sokaklarda kayarlar, bir delikten diğerine peynir kabukları, yasak mallar, barut fıçıları sürükleyerek kentin bir bisiklet tekerinin tellerine benzeyen yeraltı dehlizleriyle delik deşik olmuş tok gövdesi boyunca gidip gelirler.

Bir Smeraldina haritası, kuru ve ıslak, açık ve gizli bütün yolları, çeşitli renkte mürekkeple işaretlenmiş olarak göstermeli. Oysa çatıların üzerinde havayı yararak kesen, gergin kanatlarıyla görünmez paraboller çizerek alçalan, bir sivrisineği yutmak için ok gibi dalan ve döne döne, çan kulesinin ucunu sıyırarak yine yükselen, havada çizdiği patikaların her noktasından kentin her noktasına hâkim olan kırlangıçların yollarını kâğıt üzerinde göstermek çok daha zordur.

Kentler ve gözler 4

Fillide'ye geldiğinde kanalların üzerinde binbir türlü köprü görür keyiflenirsin: eşeksırtı köprüler, üstü kapalı, kirişli köprüler, dubalı, parapetleri işlemeli asma köprüler; ne çok çeşitli pencere bakar sokaklara: çift kanatlı kemerli pencereler, dar ve sivri kafesli pencereler, konik, üstlerinde lünet ya da gülpencere olanlar; ne çok çeşidi vardır yer döşemelerinin: iri çakıllar, büyük karo taşlar, parke taşlar, küçük taşlar, beyaz mavi seramik levhalar. Kent, her noktasında sürprizler sunar bakanlara: kale duvarlarından bir kaperi dalı sallanır, bir rafta üç kraliçe heykeli, tepesine üç soğancık oturtulmuş bir soğankubbe. Kenti yalnızca bakışınla şöyle bir okşayıp ayrılmak zorundaysan, "Fillide'yi her gün gözleri önünde bulan ve sahip olduğu şeyleri görmeyi bir türlü bitiremeyenlere ne mutlu", diye bağırırsın hayıflanarak.

Oysa Fillide'de durup ömrünün geri kalan günlerini orada geçirdiğin de olur. Çok geçmeden solar kent, gülpencereler, raflardaki heykeller, kubbeler yok olur. Bütün Fillide'liler gibi sen de bir sokaktan ötekine zigzag hatları izlersin, güneşli yerleri gölgeliklerden ayırırsın, burada bir kapı, orada bir merdiven, sepetini dayayabileceğin bir sıra, dikkat etmezsen ayağının tökezleyeceği bir çukur. Bunlar dışındaki her şey görünmez olur kentte.

Fillide boşlukta duran noktalar arasında güzergâhların, o alacaklının gişesini teğet geçerek, o tüccarın kepengine ulaşmak için seçilecek en kısa yolun çizildiği boş bir mekândır. Adımların, gözlerin dışında değil için-de kalan, unutulmuş, silinmiş şeylerin peşindedir artık: iki kemeraltından birisi sana hep daha çekici geliyorsa bu, işli geniş kollu elbisesiyle bir genç kız otuz yıl önce o kemerin altından geçiyordu diyedir, ya da bugün ne-rede olduğunu artık anımsamadığın tıpkı o kemeraltı gi-bi günün belli bir saatinde ışık aldığı içindir yalnızca.

Milyonlarca göz yukarı kalkar, boş bir sayfaya bakı-yormuş gibi pencerelere, köprülere, kaperi dallarına ba-kar. Habersiz yakalamadığın sürece kendisini bakışlar-dan kaçıran çok kent vardır Fillide gibi.

Kentler ve ad 3

Benim için Pirra, bir koyun yamaçlarına yerleşmiş evleri, yüksek pencereleri, yüksek kuleleri olan, bir kadeh gibi kapalı, ortasında kuyuya benzeyen derin bir meydanı, meydanın ortasında bir kuyusu olan bir kent oldu uzun süre. Hiç görmemiştim onu. Hiç gitmediğim, sadece adından yola çıkarak düşlediğim birçok kentten birisiydi: Eufrasia, Odile, Margara, Getullia. Pirra bu kentler arasındaydı, her biri aklın gözleri için nasıl birbirinden farklıysa, o da öyle farklıydı her birinden.

Bir gün geldi yolculuklarım Pirra'ya götürdü beni. Oraya ayak bastığım an düşlediğim her şey unutulmuştu; Pirra, Pirra neyse o olmuştu; alçak ve dalga dalga kıyının bir kum tepeciğinin arkasında gizlendiğinden, denizin kentten görünmediğini, yolların uzun ve dümdüz uzandığını, kereste yığınları ve hızarların bulunduğu geniş boşlukların birbirinden ayırdığı alçak evlerin aralıklı kümelendiğini, rüzgârın hidrolik pompaların fırıldaklarını döndürdüğünü sanki hep biliyormuşum gibi geldi bana. O andan beri Pirra adı belleğime hep bu görüntüyü, bu ışığı, bu vızıltıyı, sarımtırak bir toz bulutunun kapladığı bu havayı getirir: Pirra adının anlamı bu, başka bir anlama da gelemezdi zaten.

Aklım, görmediğim ve de görmeyeceğim birçok kentle dolu hâlâ, bir figürü, bir parçayı, ya da imgelenen bir figürün kör edici ışığını beraberinde getiren adlarla: Getullia, Odile, Eufrasia, Margara. Kuyunun etrafındaki kapalı meydanıyla koyun üzerinde yükselen kent de hep orada ama ne onu bir adla çağırabiliyorum artık, ne de bambaşka anlama gelen bir adı ona nasıl verdiğimi hatırlıyorum.

Kentler ve ölüler 2

Yolculuklarımda Adelma'ya kadar hiç uzanmamıştım. Karaya çıktığımda hava kararıyordu. İpi havada yakalayarak iskele babasına bağlayan doklardaki denizci, askerliğimi birlikte yaptığım ölmüş birine benziyordu. Toptan balık pazarının kurulma saatiydi. Yaşlı bir adam denizkestanesi dolu bir sepeti bir arabaya yüklüyordu; onu tanıdığımı sandım; başımı çevirdiğimde dar bir sokakta kaybolmuştu, ama daha ben çocukken yaşlı bir adam olan bu yüzden de canlılar arasında olması imkânsız o balıkçıya benzediğini anlamıştım. Kafasına çektiği örtünün altında kıvrılmış yerde yatan bir hummalının görüntüsü altüst etti beni: ölümünden birkaç gün önce babamın da gözleri sararmış, sakalları tıpkı o adamınki gibi uzamıştı. Hemen çevirdim kafamı; kimsenin yüzüne dikkatle bakmaya cesaret edemiyordum artık.

Düşündüm: "Eğer Adelma yalnızca ölülere rastlanan, düşümde gördüğüm bir kentse, bu düş korkutuyor beni. Eğer Adelma canlıların yaşadığı gerçek bir kentse, benzerliklerin yok olması, insana müthiş bunalım veren yabancı yüzlerin belirmesi için onlara ısrarla bakmayı sürdürmek yetecek. Her iki durumda da onlara bakmakta inat etmemek en iyisi".

Pazarcının biri bir lahanayı terazide tartıyor ve bir kızın balkondan uzattığı ipin ucunda sallanan sepete yerleştiriyordu. Kız aşk yüzünden delirip canına kıyan köyümdeki kızın aynısıydı. Pazarcı kadın başını kaldırdı: ninemdi.

Düşündüm: "Yaşamda bir an geliyor, tanıdığın insanlar arasında ölüler canlılardan çok oluyor. Ve beyin başka yüz hatlarını, başka ifadeleri kabul etmeyi reddediyor: rastladığı bütün yeni yüzlere eski izlerin damgasını vurup her birine en uygun maskeyi buluyor".

Damacana ve variller altında iki büklüm, tek sıra merdivenleri çıkıyordu hamallar: yüzlerini çuval kukuletalar örtüyordu; "Şimdi kafalarını kaldıracaklar ve tanıyacağım onları" diye sabırsızlık ve korkuyla düşünüyordum. Yine de gözlerimi ayırmıyordum onlardan; bakışlarımı bir an için sokakları tıkış tıkış dolduran kalabalığa doğru çevirsem, uzakta beliren, kendilerini tanıtacaklarmış gibi, beni tanımak istiyorlarmış ya da beni tanımışlar gibi bana dikkatle bakan beklenmedik yüzlerin üstüme üşüştüklerini görüyordum. Kimbilir her birinin gözünde belki ben de ölmüş birine benziyordum. Adelma'ya yeni gelmiştim ve onlardan biriydim bile, onların tarafına geçmiştim, gözlerden, kırışıklardan, yüz buruşturmalarından oluşan dalga dalga kalabalığa karışmıştım.

Düşündüm: "Belki de Adelma ölürken gelinen ve herkesin tanıdığı kişileri yeniden bulduğu bir kent. Demek ben de ölüyüm". Şunu da düşündüm: "Demek öbür taraf tatsız bir yer".

Kentler ve gökyüzü 1

Eğri büğrü daracık sokakları, merdivenleri, çıkmaz sokakları, yoksul mahalleleriyle aşağılı yukarılı yayılan Eudossia'da kentin gerçek biçimini seyredebileceğin bir halı var. Düz ve yuvarlak hatlar boyunca motiflerini yineleyen simetrik figürlerden oluşan, tüm örgüsü boyunca her birini ayrı ayrı izleyebileceğin nefis renkte ipliklerle dokunmuş bu halının deseni kadar Eudossia'ya benzemeyen hiçbir şey yoktur ilk bakışta. Ama durup onu dikkatle incelediğinde, halıdaki her noktanın kentteki her noktayla ilişki içinde olduğunu kentte varolan ve senin trafiğe, kalabalığa, itiş kakışa takılarak gözden kaçırdığın her şeyin aralarındaki gerçek ilişkiye göre düzenlenmiş şekliyle desende bulunduğunu anlarsın. Eudossia'nın tüm kargaşasından senin yarım yamalak yakalayabildiğin görüntü, katırların anırmasından, is lekeleri ve balık kokularından öteye geçmez; oysa halı kentte belli bir noktanın bulunduğunu ve onun gerçek oranlarını, en küçük ayrıntılarına gizlenmiş geometrik yapısını ancak o noktadan gösterdiğini kanıtlar sana.

Eudossia'da kaybolmak kolay: ama bakışlarını halı üzerinde yoğunlaştırdığın an, geniş bir halka çizerek seni gerçek varış noktana, erguvan renkli o kapalı alana sokuveren koyu kırmızı, çivit mavisi ya da mor-kırmızı bir iplikte aradığın sokağı buluverirsin. Her Eudossia'lı halının sabit düzenine bakarak, kendi özel kent imgesini, kendi bunalımını düşünür ve arabesklerin arasında gizlenmiş bir yığın yanıtı, kendi yaşamının hikâyesini, kaderin cilvelerini bulabilir orada.

Halı ile kent gibi böylesine farklı iki nesnenin arasındaki gizemli ilişki üzerine bir kâhinle konuşmuşlar. "Birinin biçimi tanrıların yıldızlı gökyüzüne ve dünyaların etrafında döndüğü yörüngelere verdiği biçim" — demiş kâhin,— "diğeri ise her insan yapısı gibi onun yaklaşık bir yansıması".

Falcılar halının uyumlu deseninin tanrıların işi olduğundan uzun süredir emindiler; kâhinin cevabı da kavgasız gürültüsüz bu bağlamda yorumlandı. Ama aynı şekilde tam tersi bir sonuç çıkarabilirsin bundan sen: Eudossia kentinin bu haliyle evrenin gerçek haritası olduğunu, hepsi zigzag bütün yolları ve toz bulutları gibi birbiri üstüne çöken evleriyle, yangınlar ve karanlıktaki çığlıklarla durmadan genişleyen 'biçim'siz bir leke olduğunu düşünebilirsin.

— ... Demek gerçekten belleğe bir yolculuk seninkisi! — Yüce Han pür dikkat Marco"yu dinliyor, konuşmasında ne zaman bir hayıflanma tonu yakalasa hamağında doğrulup oturuyordu. — Bir nostaljinin yükünü hafifletmek için bunca uzaklara geldin sen! — diye heyecanla bağırıyor, ya da — Bir ambar dolusu hüzünle dönüyorsun gittiğin yerlerden — diyerek alaycı bir edayla ekliyordu: Bir Serenissima[1] tüccarı için oldukça düşük bir kâr doğrusu!

Kubilay'ın geçmiş ve gelecek üzerine bütün sorularının varış noktası buydu, kedinin fareyle oynadığı gibi oynuyordu bir saattir bu konuyla, ve üstüne çullanıp; bir dizini göğsüne dayıyor, sakalına yapışıp köşeye sıkıştırıyordu sonunda Marco'yu: — Benim öğrenmek istediğim şuydu: kaçakçısın sen, ne kaçırıyorsun sınırlarda itiraf et: ruh durumları, büyük esenlikler, büyük hüzünler?

Hareketsiz ve sessiz sedasız, pipolarından çıkan dumanın ağır ağır yükselişini seyrederken ikisinin kafasından geçen cümle ve hareketlerdi belki de bütün bunlar; duman bulutu bir esintiyle dağılıyor bazen havanın ortasında öylece kalıyordu; cevap bu buluttaydı. Dumanı uzaklara üfleyen nefesle birlikte Marco denizin geniş yüzüne ve sıradağlara çöken ve dağılırken

(1) Serenissima: Venedik'in eski adı. (ç.n.)

geride kupkuru ve berrak bir hava bırakarak kentlerin örtüsünü kaldıran buhar yüklü sisleri düşünüyordu. Bakışının varmak istediği nokta, o gelip geçici duygu perdesinin ötesiydi: 'şey'lerin biçimi uzaktan daha iyi fark edilir.

Bazen de duman dudaklardan çıkar çıkmaz yoğun ve ağır, havada öylece duruyor, başka bir görüntüyü, metropollerin çatıları üzerinde biriken buhar ve kokuları, dağılmayan opak bir dumanı, ziftli yolların üzerine çöken zehirli havayı getiriyordu sahneye. Ne belleğin değişken sisleri, ne de kuru saydamlığıydı bu, kentlerin üstünü bir kabuk gibi saran yanmış yaşamların yanık kalıntıları, artık akmayan bir yaşam cevheriyle şişen sünger, hareketin hayaliyle taşlaşmış yaşamları donduran geçmişin, şimdinin ve geleceğin tıkanmışlığıydı: işte bunları buluyordun yolculuğun sonunda.

VII

KUBİLAY: — Bana anlattığın bütün bu ülkeleri ne zaman vakit buldun da gördün bilmiyorum. Bu bahçeden hiç ayrılmamışsın gibi geliyor bana.

POLO: — Benim gördüğüm ve yaptığım her şey, kafamda, bu bahçedeki aynı sükûnetin, aynı alacakaranlığın, sadece yaprak hışırtılarının bozduğu aynı sessizliğin hüküm sürdüğü bir yerde anlam kazanıyor. Yaşamım krokodillerle yemyeşil bir nehrin akıntısına karşı boğuşmakla ya da gemi ambarlarına indirilen tuzlu balık fıçılarını saymakla geçse de düşünmek için dikkatimi yoğunlaştırdığım an kendimi akşamın bu saatinde hep bu bahçede, senin yüce huzurunda buluyorum.

KUBİLAY: — Ben de burada olduğumdan emin değilim, senin bana anlatacağın ülkeleri fethetmek için ordumun başında kan ter içinde at koşturacak, ya da kuşattıkları kalenin surlarına merdiven dayayan savaşçıların parmaklarını uçuracak yerde burada, fıskiyelerin yankısını dinleyerek kırmızı mermer çeşmelerin arasında mı dolaşıyorum bilemiyorum.

POLO: — Belki de bu bahçe yarıya inmiş gözkapaklarımızın gölgesinde yaşıyor sadece, oysa ikimiz de hiç aralıksız sürdürdük kendi işlerimizi: sen savaş meydanlarında tozu dumana katmayı, ben uzak pazarlarla biber ticeretini, ama, gürültü patırtının, kalabalığın ortasında ne zaman gözlerimizi şöyle biraz kapatsak, görmekte ve yaşamakta olduğumuz şeyleri gözden geçirmek, bir sonuca varmak, uzaktan bakmak üzere ipek kimonolarımızla buraya çekilmek hakkı doğuyor ikimize de.

KUBİLAY: — Belki de bu konuşmamız şu anda çöpleri karıştıran, buldukları paslanmış kırık eşya, kumaş ve kâğıt parçalarını biraraya toplayan Kubilay Han ve Marco Polo takma adlı iki meczup arasında geçiyor, kötü bir şaraptan birkaç fırt çekip sarhoş olmuşlar, Doğu'nun tüm hazinelerinin karşılarında parladığını görüyorlar.

POLO: — Belki de dünyadan geriye çöplüklerle kaplı belli belirsiz bir yer, bir de Yüce Han'ın sarayının asma bahçesi kaldı. Onları birbirinden ayıran bizim gözkapaklarımız, ama hangisi içerde hangisi dışarıda belli değil.

Kentler ve gözler 5

Irmağı aşıp dağdaki geçitten çıkar çıkmaz insanın karşısına, güneş ışığında saydamlaşan alabastr kapıları, serpantin süslemeli alınlıkları taşıyan mercan sütunları, medüz avizelerin altında gümüş, pullu giysileriyle dansöz gölgelerinin yüzdüğü akvaryumlara benzeyen cam villalarıyla Moriana kenti çıkıverir birden. Eğer bu ilk yolculuğu değilse böyle kentlerin bir yüzü daha olduğunu bilir yolcu: bir yarım daireyi boylu boyunca yürümesi yeter, Moriana'nın gizli yüzünü, paslanmış demirler, çuval parçaları, üzeri çivi dolu tahta parçaları, kurum sıvaşmış borular, teneke kutu yığınları, solmuş yazılarıyla kör duvarlar, samanları dağılmış iskemle iskeletleri ve insanın kendisini çürük bir kirişe asmasından başka işe yaramayacak ipler dolu geniş bir alan görecektir karşısında.

Bir uçtan diğerine kent, imge dağarını bir perspektif içinde çoğaltarak sürüyormuş gibi görünür: oysa derinliği yoktur, orasına burasına birkaç figür karalanmış bir kâğıt parçası gibi birbirinden ayrılamayan ama birbirine de bakamayan bir ön, bir arka yüzden oluşur yalnızca.

Kentler ve ad 4

Ünlü kent Clarice'nin çilekeş bir tarihi var. Defalarca yok olmuş ve yeniden kurulmuş, ama hepsinde de, kentin bugünkü durumuyla karşılaştırıldığında her sabah yıldızlar kaybolurken yeni yeni özlemleri körükleyen görkem ve ihtişamın benzersiz modeli olarak ilk Clarice'yi örnek almış kendisine.

Bozulma sürecine girdiği yüzyıllarda salgın hastalıklarla boşalan, kirişlerin ve cephe kornişlerinin çökmesi ve toprak kaymaları sonucu yüksekliğinden yitiren, paslanan ve bakım işçilerinin aldırmazlığı ve yetersizliğiyle tıkanan kent, fareler gibi onu bunu pür telaş karıştırıp kemirmek arzusuyla kaynaşan, yuva yapan kuşlar gibi onu bunu toplayıp yanyana getiren hayatta kalanlar ordusunun bodrum ve inlerden çıkmasıyla ağır ağır kalabalıklaşmıştı. Yerinden koparılıp alınabilecek ve başka bir işte kullanılmak üzere bir başka yere konabilecek ne varsa hepsine saldırıyorlardı: brokar perdeler çarşaf olup çıkıyordu; mermer mezarlara fesleğen ekiyorlardı; harem pencerelerinden sökülen dövme demir parmaklıklar, marketöri işli tahtaların ateşinde kedi eti kızartmak için kullanılıyordu. İşe yaramaz Clarice'nin rastgele biraraya getirilmiş parçalarında, kirli dereleri, tavşan kafesleri ve tümü kulübe ve gecekondu evleriyle adına yaşamak denen bir yaşantının kenti Clarice biçimleniyordu. Yine de eski görkeminden pek bir şey kaybetmemişti Clarice; farklı bir düzende kurulmuş olmakla birlikte, en az eskisi kadar sakinlerin ihtiyaçlarına uyarlanmış haliyle gene oradaydı.

Daha mutlu dönemler izledi fakir günleri: dilenci kılıklı koza Clarice'ten, nefis bir kelebek Clarice çıkıyordu; bu yeni bollukta kent malzemeler, binalar, yeni şeylerle dolup taşıyordu; akın akın yeni insan geliyordu dışardan; hiçbir şeyin ve hiç kimsenin ilk Clarice ya da ilk Clarice'lerle uzaktan yakından ilgisi yoktu; ve yeni kent ilk Clarice'nin yerine ve adına ne denli parlak bir şekilde yerleşirse ondan o denli uzaklaştığını, onu, en az fareler ve küf kadar çabuk yok ettiğini fark ediyordu: yeni debdebenin gururuna rağmen yüreğinin derinliklerinde yabancı, uyumsuz ve zorba hissediyordu kendisini.

O ilk görkemden geriye kalan ve daha karanlık gereksinimlere uyum sağlayarak kurtulan kırık dökük parçalar, bir yerden bir yere taşınıyorlardı işte yine; cam fanusların altında, vitrinlerdeki kadife yastıkların üzerindeydiler yine; bir işe yaramaktan çok, birgün birisi onlardan yola çıkarak, artık hakkında kimsenin bir şey bilmediği bir kent kurmak isteyebilir diye sadece.

Clarice'de birçok çöküş ve canlanma izledi birbirini. Toplumlar, gelenek ve görenekler defalarca değişti; geriye ad, yer ve kırılması daha zor eşyalar kalır. Kokuları ve nefesiyle tok bir gövde gibi capcanlı her yeni Clarice, bir sürü ölü ve parça parça Clarice'den kalan şeylerle bir mücevher gibi caka satar etrafa. Korint başlıkları ne zaman sütünlarının tepesindeydiler bilinmez: sadece bir tanesini, yıllarca bir kümeste tavukların yumurtladığı sepetin altında duran, ve oradan, Sütun Başlıkları Müzesi'ne, koleksiyonun diğer parçaları yanına götürülen başlığı hatırlar herkes. Çağların sırası da kaybolmuş artık; bir ilk Clarice'nin var olduğu yolunda yaygın bir inanç varsa da, bunu gösteren kesin kanıt yok; sütun başlıkları tapınaklardan önce kümeslerde duruyordu olabilir pekâlâ, mermer mezarlara önce fesleğen tohumları, sonra ölü kemikleri ekilmiş olabilir. Kesin olarak bilinen tek şey şu: belirli nesneler belirli bir mekânda yer değiştiriyor, bazen yeni nesnelerin altında kalıyor, bazen yerlerini hiçbir şey almıyor, onlar da tükenip gidiyorlar; kural onları her seferinde iyice karıştırıp tekrar biraraya getirmeye çalışmak. Belki de Clarice kırık dökük, uyumsuz, eski eşyaların gürültülü bir kargaşası oldu hep.

Kentler ve ölüler 3

Eusapia kadar yaşamın tadını çıkarıp sıkıntılardan kaçmaya hazır başka hiçbir kent yoktur. Yaşamdan ölüme geçiş çok ani olmasın diye Eusapia'lılar kentlerinin bir eşini kurmuşlar yeraltına. Bütün cesetleri, iskelet üzerinde sarı bir deri kalacak şekilde kurutup daha önceki yaşamlarına devam etmeleri için aşağıya taşıyorlar. Bu yaşamların en revaçta olan anları en keyifli, en hoşça geçenleri: cesetlerin çoğu yiyecek içecekle donanmış masalar etrafına oturtuluyor, dans eder ya da trompet çalarmış gibi bir duruş veriliyor. Bunun yanı sıra Eusapia'nın tüm ticaret ve meslekleri ya da en azından canlıların sıkıntıdan çok keyifle yaptıkları şeyler aşağıda da aynen sürüyor: saatçi, dükkânının bütün durmuş saatleri arasında, parşömen kâğıdına dönmüş kulağını akordu bozuk bir sarkaca uzatıyor; berber boş göz çukurlarıyla elindeki metni okuyarak rolünü ezberleyen bir aktörün elmacık kemiklerine kuru bir fırçayla sabun sürüyor; bir genç kız kafatasıyla sırıtarak bir buzağı leşinden süt sağıyor.

Ölümlerinden sonra yaşamdaki yazgılarından farklı bir yazgı isteyen canlılar çok elbet: ölüler kenti aslan avcıları, mezzosopranolar, bankacılar, viyolonistler, düşesler, metres ve generallerle dolup taşıyor, sayıları yaşayan kentin ulaştığı sayının çok üzerinde.

Ölüleri aşağıya indirip istedikleri yerlere yerleştirme görevi kukuletalılar örgütüne verilmiş. Onların dışında hiç kimsenin ölüler Eusapia'sına girme yetkisi yok, aşağısı hakkında tüm bilinen de onların anlattıkları.

Diyorlar ki aynı örgüt ölüler arasında da varmış ve onlara canla başla yardım ediyormuş; öldükten sonra kukuletalılar diğer Eusapia'da aynı uğraşı sürdürecekler; içlerinden bazılarını ölmüş gibi gösterip aşağı yukarı gidip geliyorlar. Doğal olarak bu örgütün canlılar kenti Eusapia üzerinde büyük etkinliği var.

Diyorlar ki yeraltına her indiklerinde aşağı Eusapia'da değişmiş birşeyler buluyorlarmış; Sayıca çok olmasa da, geçici heveslerin ürünü olmayan, üzerinde iyice düşünülüp taşınılmış yenilikler yapıyormuş ölüler kentlerinde. Ölüler kenti Eusapia'nın yıldan yıla tanınmaz hale geldiğini söylüyorlar. Kukuletalılar ölülerin yaptığı yeniliklerle ilgili ne anlatıyorsa, onlardan aşağı kalmamak için canlılar da aynısını yapmak istiyorlar. İşte böyle başlamış canlılar kenti Eusapia yeraltındaki kopyasını kopya etmeye.

Daha önce de olmuş bu, öyle diyorlar: aslında yukarı Eusapia'yı kendi kentlerine benzeterek kuranlar ölüler olmalı. Bu iki ikiz kentte kimler ölü, kimler canlı artık bunu anlamanın hiçbir yolu yok diyorlar.

Kentler ve gökyüzü 2

Kuşaktan kuşağa aktarılan bir inanış var Bersabea'da: gökyüzünde asılı bir Bersabea daha olduğu, kentin en yüce erdem ve duygularının orada boşlukta durduğunu ve göktekini kendisine örnek alırsa yerdeki Bersabea'nın onunla bütünleşebileceği. Geleneğin bu kentle ilgili kurduğu imge som altından yapılmış, kilitleri gümüş, kapıları pırlanta, tümüyle kabartma ve marketöri işli bir mücevher-kent, kusursuz bir işçiliğin en değerli malzemeye uygulandığında yaratacağı en mükemmel ürün. Bersabea sakinleri bu inanca bağlı olduklarından, gökyüzü kentini hatırlatan her şeye büyük değer veriyorlar: soylu metalleri ve nadir taşları topluyor, geçici modalara yüz vermeyerek kompozit düzende biçimler geliştiriyorlar.

Sakinler ayrıca yeraltında bir Bersabea daha olduğuna, bu kentin, yakışıksız ve değersiz saydıkları her şeyi içinde barındırdığına inanıyor ve de yukarıda yükselen Bersabea'yı yeraltı ikizine yaklaştıracak her türlü benzerlik ve bağı kentten silmeye büyük özen gösteriyorlar. Yeraltı kentinde çatıların yerine içinden peynir kabukları, pis kâğıtlar, balık kılçıkları, bulaşık suları, makarna artıkları, eski sargı bezleri dökülen başaşağı çöp bidonlarının kullanıldığını, hatta kentin özünün, bir kara delikten diğerine, yeraltının derinliklerine sıvaşıncaya kadar insan bağırsakları boyunca uzanarak lağımlara kadar inen zift gibi yumuşak ve kıvamlı bir madde olduğunu ve aşağıda kat kat duran, tembel, halka halka kabarcıklardan helezoni çatılarıyla bir dışkı kentinin döne döne yükseldiğini düşünüyorlar.

Bersabea'daki inanışların doğru ve yanlış yönleri var. Biri göksel diğeri cehennemsel olmak üzere iki yarı yansımanın kente eşlik ettiği doğru; ama bunların içeriği hakkında yanılıyor herkes. Bersabea'nın derinliklerine oyulmuş cehennem en yetkin mimarlarca tasarlanmış, piyasadaki en pahalı malzemenin kullanıldığı, tüm parçaları, sistem ve dişlileriyle işler durumda, bütün boru ve piston kollarından sarkan farbala, saçak ve püsküllerle süslü bir kent.

Kusursuzluk karatını artırmaya niyetli bir kent olarak Bersabea, bugün artık çirkin bir tutku olan boş küpünü doldurma işini bir erdem gibi görüyor; bilmiyor ki insanın alabildiğine gevşediği anlar, kendi kendinden ayrıldığı, düşmeye bıraktığı, gevşediği anlardır. Gene de kentin zenit noktasında, Bersabea'nın kullanılmayıp atılmış eşyalar hazinesinde saklı tüm o zenginlikle parıldayan bir gök cismi var: patates kabuklarıyla, kırık şemsiyeler, eski çoraplar, şekerleme kâğıtları, kaybolmuş düğmeler, cam kırıkları ile pırıl pırıl, kaldırımları tramvay biletleri, kesik tırnaklar, nasırlar, yumurta kabuklarıyla kaplı, rüzgârda uçuşan bir gezegen. Gökyüzü kenti bu, ve bu kentin semalarında ancak sıçarken hasis, hesapçı ve çıkarcı olmayan Bersabea sakinlerinin özgür ve mutlu olmayı başarabildikleri tek eylem sırasında uzaya yolladıkları uzun kuyruklu kometler dolaşıyor.

Sürekli kentler 1

Leonia kenti her gün yineler kendisini: her sabah mis gibi çarşaflarda uyanır herkes, yeni açılmış sabunlarla yıkanır, yepyeni elbiseler giyer, en mükemmel buzdolaplarındaki açılmamış süt şişelerine uzanırken son model radyolardan en son cıngılları dinler.

Dünün Leonia'sından artanlar tertemiz plastik torbaların içinde çöp arabasını bekler kaldırımlarda. Bitmiş diş macunu tüpleri, yanmış ampuller, gazeteler, kap kacak, ambalaj malzemelerinin yanı sıra şofbenler, ansiklopediler, piyanolar, porselen tabak takımları: Leonia'nın zenginliği hergün üretilen, alınıp satılan eşyalardan çok yenilerine yer açmak için kaldırılıp atılan eşyalarla ölçülür. Öyle ki, Leonia'nın gerçek tutkusunu merak etmeye başlar insan: herkesin dediği gibi yeni ve değişik şeylerin tadını çıkarmak mı, yoksa durmadan üreyen bir pisliği atmak, kendinden uzaklaştırmak mı? Çöpçülerin bir önceki günün yaşamından artakalanları toplama görevi dinsel bir törenmişçesine sessiz bir saygı ile karşılanır, halkın gözünde sanki birer melektir hepsi; kimbilir belki sadece kaldırıp attıkları eşyaları düşünmekten onları kurtarıyorlar diye.

Çöpçüler yüklerini hergün nereye götürür, bu soruyu kimse sormaz kendisine. Yanıtı herkes bilir: kent dışına. Oysa her yıl genişler kent, çöplükler geriye çekilmek zorunda kalır; atıklar arttıkça çöp yığınları yükselir, katmanlar çoğalır, daha geniş bir çembere yayılırlar. Ayrıca şu da var; Leonia'nın yeni şeyler yaratma yeteneği geliştikçe çöpün özü de iyileşir; zamana, hava şartlarına, fermantsayon ve yangınlara meydan okur. Leonia'yı çepeçevre kuşatan, yok edilemez bir artıklar kalesidir, bir sıradağ gibi kentin her noktasından görülür.

Sonuç şu: Leonia attığı mal kadar mal toplar; geçmişinin pulları, üzerinden atamadığı bir zirhın üzerine kaynaklanır; her gün yenilenmesine karşın kendisini tek ve kesin bir 'biçim'de aynen saklar: bir önceki günün, kentin yaşadığı tüm günlerin, tüm yılların, her beş yılın çöpleri üzerine dökülen dünün çöplerinin yarattığı bir biçimdir bu.

Çöp dağlarının ötesinde kendi çöp dağlarını sıkıştıra sıkıştıra uzaklara iten diğer kent çöpçüleri olmasaydı Leonia'nın çöpleri dünyaya yayılabilirdi ağır ağır. Belki de Leonia sınırlarının ötesinde bütün dünya, ortalarında sürekli çöp püsküren metropoller bulunan kraterlerle dolu. Yabancı ve düşman kentler arasındaki sınırlar, her birinin çöplerinin yer yer birbirine dayandığı, birbirini örttüğü ya da birbirine karıştığı zehirli surlar.

Surlar yükseldikçe heyelan tehlikesi de artıyor: bir konserve kutusunun, eski bir lastiğin, hasır kılıfı kaybolmuş bir şarap şişesinin Leonia tarafına yuvarlanması yeter, ayakkabı tekleri, eski takvimler, kurumuş çiçeklerden oluşan bir çığ, kendisinden boşuna uzaklaştırmaya çalıştığı, artık temiz komşu kentlerin geçmişine karışmış kendi geçmişine gömecek kenti: bu pis dağ zincirini bir felaket dümdüz edecek, hergün yeni giysilere bürünen metropolün tüm izlerini silecek. Komşu kentler toprağı düzeltmek için silindirlerle hazır bekliyor; bu yeni alana yayılacak, büyüyecek, yeni çöplükleri uzaklara itecekler.

POLO: — ... Bu bahçenin terasları belki de yalnız kafamızdaki göle bakıyor...

KUBİLAY: — ...Cengâverlik ve tüccarlık gibi çetin işler bizi uzaklara götürse de bu sessiz gölgeliği, susa konuşa sürdürdüğümüz bu sohbeti, hep aynı kalan bu akşamı içimizde özenle koruyoruz ikimiz de.

POLO: — ...Evet ama tam tersi bir varsayım kurulmadığı sürece: ordugâh ve limanlarda kan ter içinde uğraşıp didinenler, oldum olası hareketsiz bu bambu çitlerin arasına kapanmış oturan bizler onları düşünüyoruz diye var.

KUBİLAY: — Yorgunluk, çığlıklar, yaralar, pis koku yok öyleyse bu açelya dalı var yalnızca.

POLO: — Hamallar, taş kırıcıları, çöpçüler, tavuk temizleyen aşçılar, yunak taşına çömelmiş kadınlar, bebeklerini emzirirken pirinç karıştıran anneler biz onları düşünüyoruz diye var o zaman.

KUBİLAY: — Doğrusu ben hiç düşünmüyorum onları.

POLO: — Onlar da yok öyleyse.

KUBİLAY : — Bize uygun bir önerme değil bu. Onlar olmasa biz kozalarımıza çekilmiş hamaklarımızda nasıl böyle keyifle sallanırdık.

POLO: — Bu varsayımı unutalım o zaman. Öyleyse diğeri doğru: onlar var biz yokuz.

KUBİLAY: — Böylece kanıtlamış olduk ki biz buradayız ve de yokuz.

POLO: — Nitekim buradayız işte.

VIII

Yüce Han'ın tahtının ayakları dibinde çini bir döşeme uzanıyordu. Dilsiz haberci Marco Polo, imparatorluk sınırlarına yolculuklarından getirdiği eşya örneklerini bu döşemede gösteriyordu hükümdara: bir tulga, bir istiridye kabuğu, bir hindistancevizi, bir yelpaze. Elçi bunları siyah beyaz karolar üzerinde belli bir düzene göre dağıtıyor, düşüne taşına yerlerini sırayla değiştirerek yolculuk hikâyelerini, imparatorluğun durumunu, uzak başkentlerin özelliklerini anlatıyordu hükümdara.

Kubilay dikkatli bir satranç oyuncusuydu; Marco'nun hareketlerini izliyor ve bazı taşların başka taşların yaklaşmakta olduğunu gösterdiğini, ya da yaklaşma olasılıklarını kesinlikle ortadan kaldırdığını, ve de bu taşların belirli bazı hatlar üzerinde yer değiştirdiğini gözlüyordu. Objelerin farklı biçimlerine boş verip, birbirleriyle ilişkileri açısından nasıl dağıldıklarına dikkat ediyordu. Şöyle düşündü: "Eğer her kent bir satranç partisiyse, oyunun kurallarını öğrendiğim gün, içindeki kentlerin tümünü tanıyamasam da nihayet sahip olabileceğim imparatorluğuma".

Aslında Marco'nun ona kentlerini anlatmak için bir yığın pılıpırtıya başvurmasına hiç gerek yoktu: tam anlamıyla sınıflandırılabilecek biçimlere sahip taşlarıyla bir satranç tahtası yeterliydi. Bir taşa sırayla birçok uygun anlam verilebilirdi: at gerçek bir at, bir atlı araba konvoyu, harekete geçmiş bir ordu, bir atlı heykeli olabilirdi pekâlâ; ve de vezir[1] *balkondaki bir kadın, bir çeşme, sivri kubbeli bir kilise, bir ayva ağacı olabilirdi.*

Son görevinden döndüğünde Marco Polo, Han'ı bir satranç tahtasının karşısına oturmuş kendisini bekler buldu. Bir el hareketiyle Han onu karşısına oturmaya ve yalnızca satranç taşlarını kullanarak kendisine gördüğü kentleri anlatmaya davet etti. Cesaretini yitirmedi Venedikli. Han'ın satranç taşları fildişinden yapılmış, kocaman, cilalı taşlardı: Marco yüksek kaleleri ve asık suratlı atları satranç tahtası üzerinde dağıtıyor, piyonları bir arı bulutu gibi biraraya topluyor, vezirin yürüyüşünü düşünerek düz ve çapraz yollar çiziyor, beyaz ve siyah kentlerin mehtaplı gecelerde oluşturduğu alan ve perspektifleri yeniden yaratıyordu.

Ortaya çıkan bu belli başlı manzaraları uzun uzun seyrederek kentleri ayakta tutan görünmez düzeni, bunların ortaya çıkışını, biçim kazanışını, gelişip zenginleşmesini ve mevsimlere uyum sağlamalarını ve hüzne bulanarak yok oluşlarına karar veren kuralları düşünüyordu. Bazı zamanlar bir yığın farklılık ve uyumsuzluğun gerisinde yatan tutarlı ve uyumlu bir sistemin varlığını keşfedecekmiş gibi geliyordu Han'a, ama hiçbir model satranç oyununun kurduğu o modelle boy ölçüşemiyordu. Fildişi taşların sınırlı yardımıyla sonuçta nasıl olsa unutulacak görüntüler yaratmak için kafa patlatmak yerine, kurallara uygun bir parti oynamak ve satranç tahtasının girdiği her yeni durumu, biçimler dizgesinin önce kurup sonra yıktığı sayısız biçimlerinden biriymişcesine seyretmek yetebilirdi belki.

---

(1) Bizim vezir dediğimiz taşın karşılığı İtalyancada dişi bir sözcük olan "regina" (kraliçe)dir. (ç.n.)

Kubilay Han, Marco Polo'yu uzak diyarlara göndermeye gerek duymuyordu artık: bitmez tükenmez satranç partileri için yanında tutuyordu. İmparatorlukla ilgili tüm bilgiler, atın ani hamlelerinin, filin akınlarına açılan çapraz yolların, şahın ve iddiasız piyonun ağır ve temkinli adımlarının, her partinin sonsuz alternatiflerinin yarattığı resimde gizliydi.

Yüce Han oyunla özdeşleşmeye çalışıyordu: ama şimdi de oyunun amacı kurcalıyordu kafasını. Her partinin sonu bir kazanç ya da kayıptır: ama neyin? üzerine oynanan şey neydi? Şah mat noktasında, kazananın eliyle düşürülüp kenara itilen şahın ayakları dibinde siyah ya da beyaz bir kare kalır geriye. Özlerine varabilmek için fetihlerini soyutlaya soyutlaya son işlemle yüzyüze gelmişti Kubilay: imparatorluğun binbir hazinesi son ve kesin fethin yalancı kılıflarıydı yalnızca. Düzgün, cilalı bir tahta parçasıydı fethedilen: bir hiç.

Kentler ve ad 5

Irene, ışıkların yandığı saatlerde yaylanın ucundan eğilip baktığında görünen, güllere benzer yerleşim alanlarıyla berrak havalarda seçilen kenttir: çok pencereli, az buçuk aydınlatılmış dar sokaklar boyunca giderek seyrekleşen, bahçe gölgelerinin birbirine ulandığı, tepelerinde sinyal ateşleri yanan kulelerin yükseldiği yerdir; sisli akşamlarda belli belirsiz bir aydınlık, süt rengi bir sünger gibi şişer yamaçların dibinde.

Yayladan geçen yolcular, sürülerini otlatan çobanlar, ağlarına bakan kuş avcıları, hindibağ toplayan keşişler, hepsi aşağıya bakar ve Irene'yi konuşur. Rüzgâr, kimi zaman bir davul ve boru müziğini, bir havai fişek patırtısını taşır bir panayırın ışıltısı içinden, kimi zaman da mitralyöz seslerini, iç savaşın yaktığı ateşlerle sapsarı gökyüzünde barut deposunun patlayışını getirir kulağına. Yukarıdan bakanlar kentte olup bitenler üzerine tahminler yürütürler, o akşam Irene'de olsalar iyi mi olurdu, kötü mü, bunu sorarlar kendilerine. Aslında oraya gitmek niyetinde olduklarından değil — vadiye inen yollar zaten kötüdür —, Irene yukarıda duranların bakış ve düşüncelerini bir mıknatıs gibi kendisine çeker de ondan.

Bu noktada Kubilay Han, Irene'nin içerden nasıl göründüğünü anlatmasını bekler Marco'dan. Marco yapamaz bunu: yayladakilerin Irene dedikleri kentin hangisi olduğunu anlayamamıştır ki: önemi de yok zaten: ortasında durup bakıldığında başka bir kent olacak nasılsa;

Irene uzaktan bakılan, yaklaşıldığında değişen kentlerin adıdır.

Kent, girmeden geçen için başka, ona yakalanan ve bir daha asla çıkamayan için başkadır; biri ilk kez geldiğin, diğeri geri dönmemek üzere terk ettiğin kenttir; her birine farklı bir ad verilmeli; belki Irene'den başka adlarla söz ettim daha önce; belki de sadece Irene'den söz ettim.

Kentler ve ölüler 4

Argia'yı diğer kentlerden farklı kılan, hava yerine toprakla kaplı olması. Yollar tümüyle toprakla örtülü, odalar tavanlarına kadar kille dolu, her merdivenin üzerinde başaşağı bir merdiven daha var, çatıların tepesine çökmüş ağır kaya-toprak katmanları bulutlu bir gökyüzünü andırıyor. Sakinler solucanların açtığı dehlizleri, köklerin uzandığı yarıkları genişleterek kentte dolaşabiliyorlar mı bilmiyoruz: rutubet çürütüyor gövdeleri, çok güçsüz bırakıyor; onlar da hareketsiz uzanmayı yeğliyorlar, her yer karanlık zaten.

Argia'ya ait hiçbir şey görünmüyor yukarıdan; "orada, aşağıda" diyenler var, inanmaktan başka çare yok; her yer ıssız. Geceleri kulağını yere dayarsan arada bir kapının çarptığını duyuyorsun.

Kentler ve gökyüzü 3

Tecla'ya gelenler tahta parmaklıkların, çuval perdelerin, inşaat iskelelerinin, metal armatürlerin, iplerle asılmış ya da ayaklar üzerine kurulmuş tahta köprülerin, seyyar merdivenlerin, elektrik pilonlarının arkasında pek göremezler kenti. — Tecla'nın yapımı neden bu kadar uzun sürüyor? — sorusuna kent sakinleri, su çekmeye, çekül sallandırmaya, uzun fırçalarını bir aşağı bir yukarı kaydırmaya devam ederek — Yıkım başlamasın diye, — cevabını verirler. İskeleler sökülür sökülmez kentin parça parça dökülmeye başlayarak yıkılmasından korkup korkmadıkları sorulduğunda telaşlı bir fısıltıyla eklerler: —Sadece kent değil.

Aldığı cevaplarla yetinmeyen biri, bir tahta perdenin çatlağına gözünü uydurup baktığında başka vinçleri yukarı çeken vinçler, başka iskeleleri örten iskeleler, başka kirişleri taşıyan kirişler görür. — Anlamı ne bu inşaatın? — diye sorar. — Kurulmakta olan bir kentin, kent olmaktan başka ne amacı olabilir? Uyguladığınız plan, proje nerede?

— Gün biter bitmez gösteririz sana onu, şimdi ara veremeyiz, — diye cevap verirler.

Gün batımıyla birlikte durur iş. Gece çöker şantiyenin üzerine. Yıldızlı bir gece. — İşte proje bu, — derler.

Sürekli kentler 2

Trude'de yere inerken kentin kocaman harflerle yazılmış adını görmesem, ayrıldığım havaalanına geldiğimi sanacaktım. Geçtiğimiz dış mahalleler aynı sarımsı ve yeşilimsi evleriyle ötekilerden farksızdı. Aynı okları izlediğinizde aynı meydanların aynı çiçek tarhlarını dolaşıyordunuz. Kent merkezindeki sokaklar birbirinden farksız malları, paketleri, tabelaları sergiliyordu. Trude'ye ilk gelişimdi bu, oysa bir rastlantı sonucu indiğim oteli önceden biliyordum; demir tüccarlarıyla yaptığım konuşmaları daha önce de yapmış, daha önce de duymuştum; o günün aynısı başka günler de aynı şekilde bitmişti: dalgalanan göbek deliklerine, aynı bardakların ardından bakarak.

Niye geldim ki Trude'ye? diye soruyordum kendime. Ve daha o an gitmek istiyordum.

— İstediğin an uçabilirsin, — dediler, — ama, her noktasıyla bu kentin aynısı başka bir Trude'ye gideceksin, başı sonu olmayan tek bir Trude'yle kaplı dünya, havaalanında adı değişiyor o kadar.

Gizli kentler 1

Olinda'ya bir büyüteçle gidip çevreyi dikkatle arayanlar, bir yerlerde, bir topluiğne başından daha büyük olmayan, büyüterek bakıldığında içinde, çatılar, antenler, çatı pencereleri, bahçeler, küvetler, yol üzerine gerilmiş pankartlar, meydanlarda kiosklar, geniş bir at koşusu alanı gördükleri bir nokta bulurlar. Böyle kalmaz bu nokta: bir yıl sonra yarım bir limon, sonra iri bir mantar, daha sonra bir çorba tabağı kadar olur. Ve de işte ilk kentin içine sıkışıp kalmış doğal büyüklükte bir kent olup çıkar: ilk kentin ortasında büyüyen ve onu dışarıya iten yeni bir kent.

Her yıl bir halka genişleyen ağaç gövdeleri gibi, tekmerkezli daireler etrafında büyüyen tek kent Olinda değil elbette. Ama diğer kentlerin ortasında, içinden çan kulelerinin, kulelerin, kiremit damların, kubbelerin incecik yükseldiği dapdar surlardan oluşan eski bir çember kalır hep, yeni mahallelerse çözülmüş bir kemerle birlikte genişlercesine bu halkanın çevresine yayılır. Olinda farklı: burada, genişlerken kent sınırlarına dek uzanan daha geniş bir ufukta, oranlarını koruyarak büyümüş eski mahalleleri de kendisiyle birlikte götürüyor eski surlar; kent sınırları, çapları aynı şekilde büyümüş ve içerden doğru sıkıştıran daha yeni mahallelere yer açmak için uzayıp incelmiş daha az eski mahalleleri çepçevre sarıyor; kentin yüreğine kadar böylece sürüp gidiyor bu: küçülmüş boyutlarında ilk Olinda'nın ve biri diğerinden doğmuş tüm Olinda'ların hatlarını, ve yaşam damarındaki özsuyun akışını aynen koruyan yepyeni bir Olinda var orada; ve bu en iç halkanın içinde — henüz seçmek zor onları — yeni doğacak Olinda ve onu izleyecek olanlar doğuyor bile.

Yüce Han oyunla özdeşleşmeye çalışıyordu: ama şimdi de oyunun amacı kurcalıyordu kafasını. Her partinin sonu bir kazanç ya da kayıptır: ama neyin? üzerine oynanan şey neydi? Şah mat noktasında, kazananın eliyle düşürülüp kenara itilen şahın ayakları dibinde bir hiç kalır: siyah ya da beyaz bir kare. Özlerine varabilmek için fetihlerini soyutlaya soyutlaya son işlemle yüzyüze gelmişti Kubilay: imparatorluğun binbir hazinesi son ve kesin fethin yalancı kılıflarıydı yalnızca; düzgün, cilalı bir tahta parçasıydı fethedilen.

Ve Marco Polo konuştu: — Senin satranç tahtanda iki ağaç kullanılmış efendimiz: abanoz ve akağaç. Aydın bakışının ısrarla üzerinde durduğu bu parça bir ağaç gövdesinin kurak bir yılda büyüyen halkasından kesilmiş: lifler nasıl dağılıyor görüyor musun? İşte şurada belli belirsiz bir düğüm fark ediliyor: erken bir ilkbahar günü bir tomurcuk fışkırmaya çalışmış besbelli ama gecenin çiyi geri çekilmeye zorlamış onu. — Yüce Han o ana dek yabancının tatar dilinde kendisini bu kadar akıcı, bu kadar rahat ifade edebildiğini fark etmemişti, ama onu asıl şaşırtan bu değildi. — İşte daha iri bir delik: belki de bir kurtçuğun yuvasıydı; tahtakurdunun olamaz çünkü doğduğu andan başlayarak durmadan, oyardı ağacı o, yapraklarını kemirerek ağacın kesime ayrılmasına neden olan bir tırtılın yuvası olmalı... Daha çıkıntılı komşu kareye tam bitişsin diye bu kenarı hafifçe yontmuş marangoz keskisiyle...

Boş ve düzgün bir tahta parçasında okunabilecek

şeylerin kalabalığında boğuluyordu Kubilay; Polo konuşmayı, abanoz ormanlarına, nehirlerde kayan kütük sallara, rıhtımlara, penceredeki kadınlara vardırmıştı bile...

IX

Yüce Han'ın bir atlası var: saray saray, yol yol, surları, köprüleri, limanları, kayalık yamaçlarıyla imparatorluğun tüm kentlerini, tüm komşu krallıkları gösteriyor. Kendisinin iyi bildiği bu yerler hakkında Polo'nun anlattıklarından birşeyler öğrenmeyi ummanın boşuna olduğunu biliyor Han: Çin'in başkenti Cambaluc'da her birinde dört tapınak, ve mevsimlere göre sırayla açılan dört kapı olan iç içe üç kare kent bulunduğunu, Java adasında öfkeli gergedanın öldürücü boynuzuyla nasıl saldırdığını, Maabar kıyılarında deniz dibinden nasıl inci çıkardıklarını zaten biliyor.

Kubilay Marco'ya sorar: — Batı'ya döndüğünde oradakilere de anlatacak mısın bütün bunları?

— Ben konuşur, konuşurum, der Marco, ama beni dinleyen, duymak istediğini duyar yalnızca. Senin heyecanla kulak kabarttığın dünya başka, kendi sokaklarıma döndüğümde hamal ve gondolcuların arasında dolaşacak hikâyeler başka olacak, Cenova korsanlarına esir düşüp macera romanlarını kaleme alan bir yazıcıyla aynı hücrede zincire vurulsam, geç yaşta ona yazdıracağım dünya ise bambaşka olacak. Anlatıya yön veren şey, ses değil: kulaktır.

— Zaman zaman, sesin bana sanki çok uzaklardan ulaşıyormuş gibi bir duyguya kapılıyorum; görkemli ve dayanılmaz bir şimdinin tutsağıyım oysa; bütün ortak yaşam biçimlerinin, süreçlerinin sonuna gelip dayandığı bir şimdi bu, alacakları yeni biçimleri

bilmek de olanaksız. Kentleri yaşatan, ve de belki ölümlerinin ardından tekrar yaşatacak olan, gözle görülmeyen nedenleri dinliyorum senin sesinde ben.

Yüce Han'ın bir atlası var: resimleri kıta kıta bütün yeryüzünü, en uzak diyarların sınırlarını, gemi rotalarını, kıyı şeritlerini gösteriyor; içinde en ünlü başkentlerin haritaları var. Marco'nun gözleri önünde atlası karıştırıp duruyor Kubilay, niyeti onun bilgisini sınamak. Üç kıyısıyla uzun bir boğazın, incecik bir körfezin, kapalı bir denizin üzerine yayılmış kentte Istanbul'u tanıyor yolcu; Kudüs'ün "biri alçak, biri yüksek karşılıklı iki tepe üzerinde[1] kurulduğunu hatırlıyor; Semerkant ve bahçelerini hemen tanıyıp gösteriyor.

Diğer kentler için Marco, ya ağızdan ağıza dolaşan tanımlara başvuruyor, ya da sınırlı verilerden yola çıkıp tahminlerde bulunmaya çalışıyor: halifelerin şanjanlı incisi Granada, kuzeyin temiz limanı Lübeck, abanoz ağaçlarıyla simsiyah, fildişiyle bembeyaz parıldayan Timbuktu, milyonlarca insanın her gün elinde upuzun ekmeklerle eve döndüğü Paris. Atlas, renkli minyatürleriyle değişik biçimli alışılmadık yerleşim bölgelerini de gösteriyor: çölün bir kıvrımına gizlenmiş, içinden sadece palmiye tepeleri gözüken vahanın Nefta olduğu kesin; öldürücü kumlar ile gelgitlerin tuza buladığı çayırlarda otlayan ineklerin arasında yükselen şato, Mont-Saint-Michel'i düşündürür ancak; kentin surları içinden yükseleceği yerde, surları içinde bir kent gizleyen saray Urbino'dan başka bir yer olamaz.

Atlas, ne Marco'nun ne de coğrafyacıların, var mı

(1) Torquato Tasso, Gerusalemme Liberata, Canto III, Ottava 55, Firenze, Sansoni 1926, s.37

yok mu, ya da nerede olduklarını bilmediği, ama bir gün doğabilecek kentlerin biçimleri arasında mutlaka yer alacak kentleri de gösteriyor: takasın kusursuz düzenini bir yıldız-kent planında ve bu planın bölümlerinde tümüyle yansıtan bir Cuzco, Moctezuma sarayının baktığı göl üzerinde yemyeşil bir Meksiko, soğan kubbeleriyle bir Novgorod, beyaz çatıları dünyanın bulutlu çatısı üzerinde yükselen bir Lhasa. Bunlar için de, ne olduğu önemli olmayan öylesine birer ad söylüyor Marco, birer güzergâh çiziyor her biri için. Yer adlarının yabancı diller değiştikçe değiştiğini, at binen, araba, kayık ya da uçakla giden birinin aynı yere başka başka noktalardan, bambaşka yol ve rotaları izleyerek ulaşabileceğini bilir herkes.

Kitabı birden kapatıp, — Bakıyorum kentleri bizzat gidip gördüğünden daha iyi tanıyorsun atlas üzerinde, — der imparator.

Ve Polo: — Yolculuk yapa yapa farklılıkların kaybolduğunu fark ediyor insan: her kent bütün öteki kentlere benziyor sonuçta, biçim, düzen ve uzaklıkları değiş tokuş ediyor aralarında yerler, 'biçim'siz, ince bir toz bulutu kaplıyor kıtaları. Oysa senin atlasın olduğu gibi koruyor bu farklılıkları: bir adın harflerindekine benzeyen o uyumlu nitelik çeşitliliğini.

Yüce Han'ın bütün kentlerin haritalarıyla dolu bir atlası var: surlarını sağlam temeller üzerinde yükselten kentler; yıkılmış, kumlar altında kalmış kentler; bugün yerlerinde sadece yabani tavşan yuvalarının açıldığı, ama bir gün varolacak kentler.

Marco Polo sayfaları karıştırıyor, Jericho'yu, Ur'u, Kartaca'yı tanıyor; bocurgatların çektiği Odysseus'un tahta atı Skaiai Kapıları'ndan geçinceye dek, Akha gemilerinin Skamandros'un ağzında, yanaştığı ve on yıl savaşçıların gemiye dönmesini beklediği yerleri gösteriyor.[1] *Ama Troya'dan söz ederken ona Istanbul'un biçimini vermek geliyor içinden; kurnazlıkta Odysseus'tan hiç de geri kalmayan Mehmet, gece vakti gemilerini Pera ve Galata'dan dolaştırıp akıntıda yüzdürerek Boğaz'dan Haliçe indirinceye kadar, kenti aylar boyu sürecek bir kuşatmayla nasıl sıkıştıracaktı, bunu düşünmek geliyor içinden. Ve de bu iki kentin karışımından bir üçüncüsü, Golden Gate ve körfez üzerine upuzun ince köprüler uzatan, hepsi yokuş tüm yollarında dişli tramvayların tırmandığı, sarı ırkın, siyah ve Kızılderililerin, Yüce Han'ın imparatorluğundan çok daha büyük bir imparatorlukta hayatta kalan beyazlarla birleşmelerini sağlayacak üç yüz yıllık uzun bir kuşatmanın ardından, bundan bin yıl sonra Pasifik'in başkenti olarak doğacak ve adı belki de San Francisco olacak bir kent çıkıyordu ortaya.*

Atlasın şöyle bir özelliği var: henüz bir biçimi, bir adı olmayan kentlerin biçimini ele veriyor. İç içe kanallarıyla yüzünü kuzeye dönmüş hilal şeklinde, Amsterdam biçiminde bir kent var: Prenslerin, İmparatorun, Senyörlerin kenti; yüksek fundalıklar arasına kurulmuş, surlarla çevrili, kuleleriyle dimdik York biçimindeki kent var, adına New York da denilen, iki nehir arasındaki uzun bir adanın üzerindeki Broadway dışında, hepsi dümdüz, derin kanallara benzeyen

---

(1) Jericho: Filistin'de prehistorik bir kazı höyüğü; Ur: bir Sümer kenti; Kartaca: Romalıların aralıklı üç büyük savaş sonucu haritadan sildikleri bir Kuzey Afrika kenti; Skaiai Kapıları: Troya kentinin büyük giriş kapıları; Akha: Troya savaşında Homeros'un 'Yunan' için kullandığı genel ad; Skamandros: zaman zaman Küçük Menderes'le karıştırılan, Troya önlerinde denize dökülen bir ırmak. (ç.n.)

yollarıyla, cam ve çelik kulelerle tıklım tıklım New Amsterdam biçiminde bir kent var.

Biçimler katalogunun sonu yok: her biçim kendi kentini buluncaya kadar hep yeni kentler doğacak. Biçimler alternatiflerini tüketip dağıldıklarında başlar kentlerin sonu. 'Baş'sız 'son'suz meridyen ve paralel ağları, Los Angeles, Kyoto-Osaka biçimindeki 'biçim'siz kentler atlasın son haritalarında birbirine karışıyordu.

Kentler ve ölüler 5

Her kent, Laudomia gibi, yanı başında, sakinlerinin adı kendi adlarıyla aynı olan bir kent daha yaşatır: ölülerin Laudomia'sı bu, mezarlık. Ama Laudomia'yı bütün diğer kentlerden farklı kılan özellik üçüz olması onun, henüz doğmamışlara ait üçüncü bir Laudomia'yı içermesi.

İkiz kentin özellikleri ünlü. Canlıların Laudomia'sı kalabalıklaşıp genişledikçe mezarların yayıldığı alan da surların dışında aynen büyüyor. Ölüler Laudomia'sının yolları mezarcının arabasıyla kılıkılına geçebileceği genişlikte; penceresiz binalar bakıyor bu sokaklara; oysa yolların konumu ve çukurların düzeni aynen canlıların Laudomia'sında olduğu gibi, aileler çoğalıp sıkıştıkça duvar mezarları da giderek birbiri üstüne yığılıyor. Canlılar güzel öğleden sonralarda ölüleri ziyarete gidiyor, onların mezar taşlarında kendi adlarını okuyorlar: burası da tıpkı canlılar kenti gibi yine bir yorgunluk, öfke, hayal ve duygular masalını söylüyor; bir farkla ki, burada her şey bir gerekliliğe dönüşmüş, rastlantıyla ilişkisi kopmuş, kataloglanarak bir düzene sokulmuş. Öyle ki canlılar Laudomia'sı bir güven duygusu aradığında, bulacağı kesin olmasa da, kendi kendisinin açıklamasını burada, ölülerin Laudomia'sında aramak zorunda: yalnız bir değil birçok Laudomia'nın, doğabilecekken doğmamış birçok kentin açıklamasını ya da bölük pörçük, çelişkili, hüsran doğuran birtakım nedenleri bulacaktır burada.

Haklı olarak Laudomia, yeni doğacaklara da aynı genişlikte bir alan ayırmış. Bu mekân, onların sonsuz kabul edilen sayıları ile orantılı değil elbette, ama tamamiyle boş olduğundan ve de niş, çıkma ve yivlerlerin egemen olduğu bir mimariyle çevrelendiğinden ve de yeni doğacaklara istenilen boyutları verip onları fare büyüklüğünde, ipekböcekleri veya karıncalar veya karınca yumurtaları gibi düşünebileceğinden onları duvardaki her çıkmanın, her rafın, her sütun altlığının, her sütun başlığının üzerinde ayakta ya da çömelmiş, sıra sıra ya da dağınık bir şekilde bir araya toplanmış, gelecekteki yaşamlarında yapacakları işlerle meşgul olduklarını hayal etmeni engelleyecek hiçbir şey yok; bir mermer çatlağında bundan yüz veya bin yıl sonra hiç görülmemiş bir modayı izleyen, örneğin hepsi patlıcan moru maşlahlar giymiş ya da hepsi üstlerine hindi tüyü iliştirilmiş türbanlarla dolaşan yığınlarla dopdolu bir Laudomia seyredebilir, senden, dost ve düşman ailelerden, borçlulardan, tefecilerden doğacak, kuşaktan kuşağa ticareti, intikamları, aşk ve çıkar evliliklerini aynen sürdürecek kuşakları tanıyabilirsin orada. Laudomia'da yaşayanlar henüz doğmamış Laudomia'lıların evlerini ziyarete gidiyor, onlara sorular soruyorlar; adımlar boş kubbelerin altında yankılanıyor; sorular sessiz sedasız kuruluyor; canlılar kendilerine yönelik sorular soruyor hep, gelecek onlarla ilgilenmiyor; ölümünden sonra adından söz ettirmek ya da utançlarını unutturmak isteyen herkes, davranışlarının hangi sonucu nasıl doğurduğunu izlemenin peşinde aslında; ama dikkatli baktığı oranda zorlaşıyor kesintisiz bir çizgiyi yakalaması; Laudomia'nın gelecek kuşakları, geçmiş ve gelecekten kopmuş, toz taneciklerine benzeyen minicik zerreler gibi görünüyor.

Doğmamışların Laudomia'sı, tıpkı ölülerin kenti gibi

hiçbir güven duygusu vermez canlılar kenti Laudomia'nın sakinlerine, aksine müthiş bir dehşet duygusu uyandırır. Kente gelenler düşünceleri önünde iki yolun açıldığını görür, hangisi daha azap dolu bilemez: ya doğacakların sayısının canlıların ve ölülerin sayısını fersah fersah geçeceğini ve de her taş gözeneğinde bir stadyumun merdivenlerindeki gibi huninin duvarlarına birikmiş görünmez bir kalabalığın itişip kakıştığını düşünürler; ve değil mi ki her yeni kuşakla Laudomia'da doğacak olanların sayısı iki katına çıkıyor, her huninin içinde üzerinde henüz doğmamış yüzlerce insanla binlerce huninin açıldığını, bunların boğulmamak için boyunlarını dışarı uzatıp ağızlarını açtığını düşünürler; ya da bir gün Laudomia'nın tüm halkıyla birlikte yok olacağını, başka bir deyişle, kuşakların belli bir sayıya ulaşıncaya kadar sırayla doğmayı sürdüreceğini ve bu işin bir noktada duracağını, bu durumda ölülerin Laudomia'sı ile henüz doğmamışların Laudomia'sının bir arada, başaşağı dönmeyen bir kum saatinin iki cam balonuna benzediğini, doğum-ölüm arasındaki her geçişte bir kum taneciğinin boyundan geçtiğini, ve doğacak son bir Laudomia sakininin, burada bu anda yığının tepesinde bekleyen ve sırası geldiğinde düşecek son bir kum taneciğinin bulunacağını düşünürler.

Kentler ve gökyüzü 4

Perinzia'nin kuruluşunda uygulanacak normları belirlemek üzere davet edilen gökbilginleri, mekânı ve zamanı yıldızların durumuna göre saptadılar: biri güneşin izlediği yola, diğeri göklerin etrafında döndüğü eksene göre, birbirini haç gibi kesen dekuman ve kardo[1] hatlarını çizdiler, kent haritasını zodiak'ın on iki evine göre, her tapınak ve her mahallenin iyi yıldızların etkisini en doğru alacağı şekilde böldüler, gelecek bin yıl içinde her birinin tam ortasına bir ay tutulması almasını hesaplayarak surlar üzerinde kapıların açılacağı noktaları saptadılar. Perinzia yıldız dolu bir gökyüzünün uyumunu yansıtacaktı, bunun için güvence verdiler; doğanın mantığı ve tanrıların lütfu biçimleyecekti sakinlerin yazgısını.

Perinzia bilginlerin hesaplarına aynen uyularak kuruldu; binbir türlü insan geldi kente; Perinzia'da doğan ilk kuşak, kentin surları içinde büyümeye başladı; ve önce evlenme sonra da doğurma çağına geldi.

Perinzia'nın sokak ve meydanlarında sakatlara, cüce ve kamburlara, şişmanlara, sakallı kadınlara rastlarsın bugün. Daha korkunç şeyler de var görmediğin: ailelerin üç başlı ya da altı bacaklı çocuklarını sakladığı bodrum ve samanlıklardan boğuk çığlıklar yükseliyor.

---

(1) Decumanus, Cardo: Eski Roma'da kentlerin kuruluşunda başlangıç ve temel oluşturan ve birbirini 90 derece kesen iki ana yol; bu düzen, yürüyüş kollarını yatay hat Decumanus ve dikey hat Cardo üzerinde hareket ettiren Roma ordusunda da korunmuştur. (ç.n.)

Perinzia'lı gökbilginleri zor bir seçimle yüzyüze: ya tüm hesaplarının yanlış olduğunu ve buldukları sayıların gökyüzünü betimleyemediğini kabul edecekler, ya da tanrıların düzeninin canavarlar kentinde yansıyan düzen olduğunu herkese açıklayacaklar.

Sürekli kentler 3

Yolculuklarımda her yıl Procopia'da bir kez durur, aynı hanın aynı odasına yerleşirim. Pencerenin perdesini araladığımda görülen o manzarayı ilk seferinden bu yana hep durup seyretmişimdir: bir çukur, bir köprü, küçük bir duvar, bir muşmula ağacı, bir mısır tarlası, bir böğürtlen dalı, bir kümes, sarı bir tümsek, beyaz bir bulut, trapez biçiminde mavi bir gök parçası. İlk geldiğimde kimsecikler yoktu ortalarda, bundan kesinlikle eminim; ilk kez bir yıl sonra yapraklar arasında bir kımıltı fark edip bir mısır koçanını kemiren yuvarlak, yassı bir yüz seçebildim. Bir yıl sonra küçük duvarın üzerinde üç taneydiler, geri döndüğümde altı tane olduklarını ve kucaklarında içinde birkaç muşmula bulunan birer tabakla elleri dizlerinin üzerinde yanyana oturduklarını gördüm. Her yıl odaya girer girmez perdeyi kaldırıyor fazladan birkaç yüz daha sayıyordum: aşağıda çukurdakiler de dahil on altı; sekizi böğürtlen dalına tünemiş yirmi dokuz; kümestekiler hariç kırk yedi. Hepsi birbirine benziyor akıllı uslu görünüyorlar, yanakları çilli, bazılarının ağzına böğürtlen bulaşmış, hepsi gülümsüyor. Kısa bir süre sonra, köprünün tamamının yuvarlak yüzlü, kımıldayacak yer bulamadıkları için tortop olmuş tiplerle dolduğunu gördüm; mısırları hatır hutur yiyor sonra koçanlarını kemiriyorlardı.

Böylece yıldan yıla çukurun, böğürtlen dalının, sakin bir gülümseme duvarının arkasında yaprak çiğnerken oynayan yuvarlak yanakların arasında kaybolduğunu gördüm. O mısır tarlacığı gibi daracık bir alana kollarını dizlerine kenetlemiş hareketsiz oturan bu kadar çok insanın sığabilmesi akıl alır gibi değil. Göründüklerinden çok daha fazla olmalılar: tümseğin sırtını giderek yoğunlaşan bir kalabalığın kapladığını gördüm; ama köprünün üzerindekiler birbirlerinin sırtına oturmayı alışkanlık haline getirdiklerinden beri daha ilerisini göremiyordum.

Bu yıl perdeyi kaldırdığımda artık penceremin çerçevesini bir yüzler ormanı dolduruyor sadece: bir köşeden ötekine bütün yükseklik ve bütün uzaklıklardan bütün çerçevede belli belirsiz gülümsemeleriyle, birbirlerinin omuzuna dayanmış ellerin ortasında duran bu yuvarlak, hareketsiz, yassı yüzler görünüyor. Gökyüzü de kayboldu. Pencereden uzaklaşsam iyi olacak.

Benim hareketlerim de kısıtlandı. Odamda yirmi yedi kişi kalıyoruz: ayaklarımı oynatmak istediğimde döşömeye çömelmiş oturanları rahatsız ediyorum ister istemez, şifonyerin üstünde oturanların dizleri ve yatağa sırayla dayananların dirsekleri arasında kendime yol açıyorum: neyse ki nazik insanlar hepsi.

Gizli kentler 2

Raissa'da yaşam mutlu değil. İnsanlar yollarda ellerini oğuşturarak yürüyor, ağlayan çocuklara küfrediyor, elleri şakaklarında nehir boyundaki parmaklıklara dayanıyor, her sabah kötü bir rüyadan uyanıp bir yenisine başlıyor. Parmakların elden kayan çekiçlerin altında her saniye ezildiği, ya da ellere iğnelerin battığı tezgâhlar arasında, ya da dükkân sahipleri ve bankacıların hesap defterlerindeki eğri büğrü sayı sütunları üzerinde, ya da meyhanelerin çinko bankolarında duran dizi dizi boş bardağın karşısında sürüp gidiyor bu rüya, neyse ki öne eğilmiş başlar var da kötü bakışlardan kurtuluyorsun. Evlerin içinde durum daha da berbat, içlerine girmen de gerekmiyor görmek için: pencerelerden kavga sesleri ve kırılan tabakların gürültüsü geliyor.

Gene de Raissa'da, son engeli atlarken kendisine gülümseyen zabite âşık saygıdeğer hanımefendiye yarışlarda caka yapmak için aldığı beyaz dantel şemsiyeyi iyi fiyata sattığına sevinen şemsiyeciye çardağın altından sos dolu bir tabağı keyifle uzatan meyhaneci kıza iskelenin tepesinden, "Güzelim dur da banalım şunu" diye bağıran duvarcının düşürdüğü mısır ekmeği parçasını kapmak için bahçedeki küçük deponun çatısına atlayan köpeğe pencerenin birinden gülen bir çocuk görürsün daima; zabit mutludur, ama gökyüzünde uçan kekliğe bakarak engellerin üzerinden uçan atı daha da mutludur, ressamın, kafesini açarak salıverdiği kuş mutludur, filozofun sözlerinin bulunduğu kitabın o sayfasındaki minyatürde, sarı ve kırmızı noktalarla çalışarak tüylerini bir bir boyadıktan sonra kuşu salıveren ressam mutludur. Şöyle der filozof: "Hüzün kenti Raissa'da da, bir canlı varlığı diğerine bir an için bağlayıp çözülüveren, sonra dönüp hareketli noktalar arasında tekrar gerilerek anlık yeni figürler çizen ve böylece bu mutsuz kente, her saniye, varlığından bile habersiz olduğu mutlu bir kent kazandıran görünmez bir iplik dolaşıyor".

Kentler ve gökyüzü 5

Andria öyle bir sanatla kurulmuş ki, kentteki her sokak bir gezegenin yörüngesini izliyor, ortak yaşam alanları bina ve yerler, yıldız kümelerinin düzenini ve Antares, Alpheratz, Kapella, Sefeidler gibi en parlak yıldızların konumunu aynen yineliyor. Kentin takvimi öyle düzenlenmiş ki işler, görev ve törenler gökkubbesinin o tarihteki durumuna karşılık gelen bir harita üzerinde gösteriliyor: böylece yerdeki günler gökteki gecelerin karşılığı oluyor.

Ayrıntılı ve titiz kurallarla düzenlenmiş olmasına karşın kentteki yaşam, tıpkı gök cisimlerinin hareketi gibi dinginlik içinde geçiyor, olaylar insan iradesinin dışında gereklilik kazanıyor. Ürettikleri olağanüstü şeyleri ve ruhsal dinginliklerini övmenin yanı sıra Andria'lılara şunu söyledim: kendinizi hiç değişmeyen bir göğün, kusursuz bir mekanizmanın dişli parçaları gibi hissettiğinizden, kentiniz ve göreneklerinizle ilgili en küçük bir değişiklik yapmaktan kaçınıyorsunuz, anlıyorum bunu. Gördüğüm tüm kentler arasında Andria zaman içinde hareketsiz kalmanın kendisine yakıştığı tek kent.

Şaşkın şaşkın baktılar birbirlerine. — Neden ki? Kim demiş onu? — Ve götürüp, bir bambu ormanının üzerinde yakınlarda açılmış bir asma yolu, son hastalar da iyileştikten sonra, şimdi artık kullanılmayan eski cüzam hastanesinin pavyonlarına taşınmış belediye köpek evinin yerinde halen yapımı süren bir gölge tiyatrosunu, yeni kullanıma açılmış nehir limanını, Thales heykelini, yan yollara ayrılarak dik bir yokuş oluşturan kızak pistini gösterdiler bana.

— Bütün bu yenilikler kentinizin yıldızlarla uyumunu bozmuyor mu peki? — diye sordum.

— Kentimiz ile gökyüzü arasındaki karşıolum öylesine kusursuz ki, Andria'daki her değişiklik yıldızlara da bazı yenilikler getiriyor. — Andria'daki her değişiklikten sonra gökbilimciler teleskoplarla gökyüzünü tarıyor, yeni bir yıldızın doğuşunu, gökkubbenin uzak bir noktasının portakal renginden sarıya döndüğünü, bir nebulanın genleştiğini, samanyolundaki bir spiralin büküldüğünü saptıyorlar. Her değişiklik gerek Anria'da, gerekse yıldızlar arasında bir sürü yeni zincirleme değişiklik yaratıyor mutlaka: kent ve gökyüzü asla aynı kalmıyor.

Andria'lıların kişilikleriyle ilgili iki erdem burada anımsanmaya değer: özgüven ve ihtiyat. Kentteki her değişikliğin gökyüzünün biçimini etkileyeceğinden kesinlikle emin olduklarından her karar öncesinde kendileri, kentleri ve tüm diğer dünyalar için doğacak risk ve yararları uzun uzun hesaplıyorlar.

Sürekli kentler 4

Kızıyorsun bana biliyorum; hikâyelerimde bir kentle öteki arasındaki boşluktan söz etmiyor, bu boşluk denizlerle, çavdar tarlaları, çam ormanları ya da bataklıklarla mı kaplı söylemeden seni alıp bir kentin tam ortasına götürüyorum. Bir hikâyeyle cevap vereyim sana.

Bir gün, ünlü kent Cecilia'nın sokaklarında, boyunlarına çıngıraklar bağlı sürüsünü duvar diplerinden güden bir keçi çobanına rastladım.

— Ey göklerin sevgili kulu, — diyerek durdu ve sordu, — bu kentin adını söyler misin bana?

— Tanrılar korusun seni! — diye bağırdım. — Ünlüler ünlüsü Cecilia kentini nasıl olur da tanımazsın?

— Affet beni, — diye cevap verdi, — sürekli göç eden bir çobanım ben. Ben ve keçilerim kentlerden geçeriz bazen; ama fark edemeyiz onları. Otlakların adını sor bana, hepsini bilirim. Kaya Çayırlığı, Yeşil Yamaç, Gölgeli Çayır. Kentlerin adı yok benim için: kent dediğin, yol sapağında keçilerin ürküp dağıldığı, bir otlağı diğerinden ayıran yerler sadece benim gözümde. Ben ve köpek koşar, onları bir araya toplarız hemen.

— Senin aksine, — diye onayladım, — ben de sadece kentleri tanırım, kentlerin dışındaki her yer aynıdır. İnsan eli değmemiş yerlerde her taş ve her çimen, her çimen ve her taştan farksızdır benim gözümde.

O günden bu yana uzun yıllar geçti; daha bir sürü kent gördüm, kıtaları geçtim. Bir gün birbirinden farksız bir sürü evin köşeleri arasında yürüyordum: kaybolmuştum. Bir geçene sordum: —Tanrılar korusun seni, söyle, bilir misin neresi burası?

— Olmaz olaydı, Cecilia burası! — diye cevap verdi. Ben ve keçilerim uzun zamandır yürüyoruz sokaklarında, bir türlü çıkamıyoruz kentten...

Uzun beyaz sakalına rağmen tanıdım onu: bir zamanlar rastladığım çobanın ta kendisiydi. Birkaç uyuz keçi geliyordu ardından, o kadar bir deri bir kemik kalmışlardı ki kokmuyorlardı bile. Çöp bidonlarındaki kâğıtları yiyorlardı.

— Olamaz!, — diye haykırdım. —Ne kadar oldu bilmiyorum, ben de bir kente girdim, ve de o andan beri sokaklarında sürekli ilerliyor, içine girmeyi sürdürüyordum. Ama nasıl oldu da senin dediğin yere geldim, yoksa Cecilia'dan çok uzak başka bir kentte miydim, hâlâ nasıl çıkamadım anlamıyorum.

— Birbirine karıştı yerler, — dedi keçi çobanı, — Artık her yer Cecilia; eskiden Alçak Adaçayı Merası'ydı burası, eminim. Keçilerim refüjdeki otları tanıyorlar.

Gizli kentler 3

Marozia'nın yazgısı üzerine sorgulanan bir kâhin şöyle dedi: "İki kent görüyorum: biri farelerin, diğeri kırlangıçların."

Şöyle yorumlandı kehanet: Marozia, en korkunç farelerin dişleri arasından dökülen artıkları birbirlerinin ağzından kapan fare sürüleri gibi, herkesin kurşun dehlizler boyunca koştuğu bir kent bugün; ama herkesin, kırlangıçlar gibi gergin kanatlarla döne döne gösteriler yaparak, havayı sivrisinek ve minik sineklerden temizleyip, bir oyundaymışcasına birbirine seslenerek göklerde uçacağı bir çağ başlamak üzere Marozia'da.

— Fare çağının sona erip kırlangıç çağının başlayacağı an geldi artık, — dedi en kararlılar. Gerçekten de farelerin o kötü ve düzeysiz egemenliği altındaki en silik insanlar arasında bile, bir kuyruk darbesiyle saydam göklere yükselen, bıçak sırtını andıran kanatlarıyla gittikçe genişleyen bir ufkun kavisini çizen kırlangıçlara özgü bir hamlenin için için biriktiği hissediliyordu.

Yıllar sonra döndüm Marozia'ya; kehaneti çoktan gerçekleşmiş görüyor herkes; eski çağ geçmişe gömülmüş; yenisi en parlak dönemini yaşıyor. Kent değişmiş elbet, belki de iyi bir değişiklik bu. Ama benim çevrede gördüğüm kanatlar, altlarında, ağır göz kapaklarının bakışlar üzerine çöktüğü, çekingen, güvensiz şemsiyelerin kanatları; aralarında uçtuğuna inananlar yok değil ama yarasalara benzeyen pelerinlerini uçuşturarak yerden kalksalar ona bile razı olacaklar.

Marozia'nın sağlam duvarları dibinden yürürken en beklemediği anda önünde açılan bir aralıktan, bir an için görünüp kaybolan bambaşka bir kentin belirdiğini görüyor insan. Her şeyin sırrı belki de hangi sözcüklerin söyleneceğini, hangi jestlerin yapılacağını, bunların sırasını ve ritmini bilebilmek; bir bakış, bir yanıt, birinin yaptığı bir işaret yetiyor, sadece yapmış olmanın keyfi için, kendi keyfini başkalarına aktarmak için birinin birşey yapması yetiyor: işte o anda bütün mekânlar, yükseklik ve uzaklıklar değişiyor, kent başka bir kent olup çıkıyor, yusufçuk böceği gibi şeffaflaşıp kristalleşiyor. Ama bütün bunların, bir rastlantıymışcasına, aşırı önem verilmeksizin, planlı bir iş yapıyor olmanın iddiasından uzak, ilk Marozia'nın taş, örümce ağı ve küften damını başlar üzerine örmek için her an dönebileceği gözden kaçırılmadan yapılması gerekiyor.

Kehanet yanılıyor muydu acaba? Belki evet, belki hayır. Ben şöyle yorumluyorum onu: Marozia iki kentten oluşuyor: farelerin ve kırlangıçların kenti; zaman içinde ikisi de değişiyor; ama aralarındaki ilişki hiç değişmiyor: kırlangıç kenti, fare kentinden kurtulmak üzere olanın adı.

Sürekli kentler 5

Pentesilea'yı anlatmak için önce kentin girişinden söz etmeliyim sana. Doğal olarak sen, heybelerine yan yan ve düşmanca bakan oktruva memurlarının beklediği kapıya adım adım yaklaşırken, tozlu bir ovada bir sur çemberinin yükseldiğini düşüneceksin. Kapıya ulaşıncaya kadar kentin dışındasın, süslü bir kemer tablasının altından geçiyorsun ve işte içindesin artık; kentin tok yoğunluğu kuşatır seni; taşına işlenmiş bir şekil var ki çentikli çevresini izlediğinde sırrını açıklıyor.

Buna inanırsan yanılırsın: Pentesilea'da durum farklı. Saatlerce yürür, kentin ortasında mısın yoksa hâlâ dışında mısın anlayamazsın. Alçak kıyıları bataklıkların içinde kaybolan bir göl gibi Pentesilea, ovanın içinde erimiş, çorbaya benzeyen bir kent; kilometreler boyu genişleyip yayılıyor çevreye: gür çayırların içinde, tahta perdeler ve küçük teneke çatılar arasında sırt sırta vermiş soluk binaları var. Zaman zaman yol kenarında, dişleri dökülmüş bir tarak gibi ince uzun cepheleriyle alçaklı yüksekli yapıların kalabalıklaşması, kentin ilmeklerinin o noktadan sonra sıklaşacağı anlamına geliyor diye düşünürsün. Biraz daha yürürsün, başka boş alanlar, sonra atölye ve depolarla pas renginde bir dış mahalle, bir mezarlık, atlıkarıncalarıyla bir panayır, bir mezbaha çıkar karşına: kelleşmiş kırların benek benek açıldığı yerlerde kaybolan, yıkık dökük dükkânların sıralandığı bir yoldan geçersin.

Rastladıklarına, — Pentesilea'ya nasıl gidilir? — diye

sorduğunda elleriyle geniş bir daire çizerler, hiçbir anlam veremezsin: "Burası", ya da "Daha ileride", veya: "Bütün buralar", dahası "Tam ters tarafta" anlamına gelebilir.

— Kent, — diye ısrarla sorarsın.

— Biz her sabah çalışmaya geliyoruz buraya, — diye cevap verir bazıları, ötekiler: — Uyumaya dönüyoruz buraya biz, — derler.

— Peki ya yaşadığınız kent? — diye sorarsın.

Bazıları kollarını çapraz yönde havaya kaldırıp çeşit çeşit evlerin ufuktaki opak yığınını göstererek — Oralarda bir yerde olmalı, — derken ötekiler sivri çatılarıyla arkanda duran bir hayalet kenti gösterirler.

— Fark etmeden geçtim mi acaba?

— Hayır, biraz daha ilerle istersen.

Dış mahallelerin birinden ötekine geçmeyi sürdürürsün böylece, ve Pentesilea'dan ayrılma vakti gelir çatar. Seni kentten çıkaracak sokağı sorarsın; çevreye süt rengi lekeler gibi yayılan dış mahalleleri bir bir geçersin; gece olur; bazen tek tük bazen birçok pencerede ışık yanar.

Bu bu kırık dökük çevrenin bir kıvrımında ya da bir çukurunda saklı, kente daha önce de gelmiş birinin tanıyıp anımsayabileceği bir Pentesilea var mı, ya da Pentesilea sadece kendisinin dış mahallesi de, merkezi her yer mi, anlamaktan vazgeçmişsindir artık. Şimdi seni yiyip bitiren soruyla daha da daralır için: Pentesilea'nın dışında bir dışarı var mı? Yoksa kentten ne kadar uzaklaşırsan uzaklaş, dışına asla çıkamadan, bir limbo'dan[1] diğerine mi geçiyorsun yalnızca?

(1) Cehennem girişindeki ülke: buraya gelen günahkârlar ne Cennet'e ne de Cehennem'e girebilirdi: Bkz. Dante, Divina Commedia. (ç.n.)

Gizli kentler 4

Peşpeşe istilalar, tarihinin çağları boyunca Teodora kentine çok sıkıntı çektirdi; yenilip kovalanan her düşmanın ardından bir yenisi güçleniyor, sakinlerin zaten zar zor sürdürdükleri yaşamlarını tehdit ediyordu. Gökyüzünü akbabalardan temizledikten sonra yılanların yayılmasıyla uğraşmak zorunda kaldılar; örümceklerin yok edilmesi sineklerin kara bulutlar gibi üremesine yol açtı; akkarıncalara karşı kazanılan zafer, kenti tahtakurtlarının yönetimine bıraktı. Kentle uzlaşamayan türler bir bir boyunlarını eğdiler ve soyları tükendi. Balık pullarını, kaplumbağa ve deniz hayvanı kabuklarını yolup sökerek, çekirge kanatlarını ve tüylerini koparıp atarak insanlar Teodora'ya, bugün hâlâ onun en belirgin özelliği olan seçkin bir insan kenti imgesini verdiler.

Ama kesin zaferin, kente sahip çıkmak için insanlarla dövüşecek son türün, yani farelerin mi olacağı konusu uzun yıllar kesinliğe kavuşmadı önceleri. İnsanların yok etmeyi başardıkları her kemirgen kuşağından hayatta kalan birkaçı, daha yürekli, kapanlara meydan okuyan, her türlü zehire bağışıklık kazanmış yeni bir kuşak yetiştiriyordu. Birkaç hafta içinde Teodora'nın bodrumları ve yeraltı galerileri yaygın bir tarla ve lağım faresi ordusuyla dolup taşıyordu. İnsanın yaratıcı ve caniyane dehası son bir kıyımla düşmanların üstün yaşama yeteneklerinin üstesinden geldi sonunda.

Kent, başka türlü söyleyecek olursak, hayvanlar âleminin o büyük mezarlığı, steril ve tertemiz, son pireleri ve son mikroplarıyla birlikte gömülen son leşlerin üzerine kapandı. İnsan, kendi eliyle altüst ettiği dünyanın düzenini yeniden kurmuştu sonunda; onu yeni tehlikelere atacak hiçbir başka canlı türü kalmamıştı. Bir zamanlar yaşamış hayvan türlerinin anısına Teodora kütüphanesi, raflarında Buffon ve Linnaeus'un ciltlerini saklayacaktı.

En azından Teodora sakinleri böyle inanıyordu, çoktan unutulmuş hayvan türlerinin uzun bir kış uykusundan uyanmakta olduğu hiç gelmiyordu akıllarına. Bugün soyu tükenmiş türlerin dizgesinden çıkarıldığından beri, uzak gizli köşelerde çağlardır sürgünde yaşayan öteki türler, eski kitapların saklı durduğu kütüphane bodrumlarından gün ışığına çıkıyor, sütun başlıklarından ve yağmur oluklarından atlıyor, uyuyanların yatak başuçlarına tünüyordu. Sfenksler, ejderhalar, ateş kusan canavarlar, dragonlar, yarı keçi yarı geyik acayip yaratıklar, insan başlı kuş gövdeli canavarlar, dev suyılanları, tek boynuzlu atlar, dev kertenkeleler kentlerine sahip çıkıyorlardı.

Gizli kentler 5

Kıyma makinesi dişlilerini triglifler, abak ve metoplarla süsleyen (cilalamada çalışanlar, çenelerini trabzanlardan yukarıya kaldırıp revakları, geniş merdivenleri ve tapınak girişlerini seyrettiklerinde kendilerini daha bir tutsak, daha bir küçük hissederler), kötülerin kenti Berenice'yi anlatmak yerine, gizli Berenice'den, dükkânların loş arka odalarında ve merdiven altlarında, buldukları rastgele malzemeyle, kocaman dişli çarkların arasına (bunlar durduğunda, hafif ve ritmik bir tik tik sesi kenti yeni, dakik bir mekanizmanın yönettiğini haber verecek) sarmaşık gibi tırmanarak sokulan bir boru, makara, piston, ve karşı denge ağırlıkları ağının iplerini birbirine bağlamaya çalışan iyilerin kentinden söz etmeliyim sana: Berenice'deki kötülerin, kenarına uzanarak, güçlü bir belagatla entrikalarını ilmek ilmek ördükleri, yıkanan odalıkların dolgun gövdelerini sahipkâr bakışlarla süzdükleri hamamların mis gibi kokan havuzlarını dile getirmek yerine, kötülerin gammazlamalarından ve yeniçerilerin baskınlarından kurtulmak için daima özel bir dikkat gösteren iyilerin, konuşma biçimleri, özellikle de virgül ve parantezleri söyleyiş biçimleriyle; karmaşık ve alıngan ruh durumlarından kaçınarak korudukları katı ve masum âdetleriyle; ve de, pirinçli kereviz çorbası, haşlanmış kuru bakla, kabak çiçeği kızartması gibi eski bir altın çağı çağrıştıran basit ama leziz yemekleriyle nasıl da hemen fark edildiklerini anlatmalıyım.

Bu verilerden hareketle, gelecekteki Berenice'nin,

seni bugünkü haliyle kent hakkında toplanabilecek tüm bilgilerin daha çok gerçeğe yaklaştıracak bir imgesi kurulabilir. Yeter ki şimdi söyleyeceklerimi aklından çıkarma: her iyiler kentinin tohumunda bir kötü tohum gizli; iyi olmanın verdiği güven ve gurur bu tohum: gereğinden fazla iyi olduklarını iddia edenlerden de iyi olmak. Çünkü bu güven ve gurur, kin, rekabet, misilleme gibi duygulara dönüşecek, kötülerden küçük intikamlar alma gibi doğal bir arzu, onların yerinde olma ve aynı şeyleri onlara yapma tutkusu haline gelecektir. İlkinden daima farklı olsa da, bir başka kötüler kenti, kötü ve iyi Berenice'lerin çift katlı kılıfında kendine bir yer açar böylece.

Bütün bunlardan sonra gözünde çarpık bir imge oluşmasını istemiyorsam, gizli iyi kentin içinde gizliden gizliye filizlenen bu kötü kentin gizli bir özelliğine çekmeliyim dikkatini: henüz kurallara bağlanmamış, kötülüğün kılıfı olmazdan öncekinden de daha iyi bir kenti yeniden kurma yetisine sahip gizli bir iyilik sevgisinin, -pencerelerin heyecanla birden açılması gibi- uyanma olasılığı. Ancak bu yeni iyilik tohumunun içine dikkatle baktığında, tıpkı, iyiliği kötülükten geçerek ortaya koyma eğilimi gibi büyüyüp yayılan küçük bir leke keşfedeceksin, belki de dev bir metropolün tohumu bu leke.

Benim bu konuşmamdan, gerçek Berenice'nın, zaman içinde sırayla bir iyi bir kötü olmuş değişik kentlerin bir devamı olduğu sonucunu çıkarabilirsin. Oysa seni uyarmak istediğim şey başka: geleceğin tüm Berenice'leri şu anda zaten varlar: iç içe, sıkışık ve kalabalık, kördüğüm olmuşlar.

Yüce Han'ın atlasında, henüz keşfedilmemiş ya da kurulmamış ama düşünceyle gidip görülen vadedilmiş toprakların haritaları da var: Yeni Atlantis, Ütopya, Güneş Beldesi, Oceana, Tamoe, Armoni, New-Lanark, Icaria.

Kubilay Marco'ya sordu: — Sen ki çevreyi keşfedip göstergeleri görüyorsun, söylesene bana, iyi rüzgârlar bu geleceklerin hangisine sürüklüyor bizi?

— Bu limanlar için bir rota çizemem harita üzerinde, ne de yanaşacağımız günün kesin tarihini verebilirim. İlgisiz bir manzaranın ortasında açılan bir aralık, siste yanıveren ışıklar, gidip gelirken rastlaşan iki kişinin arasında geçen bir konuşma yeter bana bazen; oradan yola çıkıp bir bütünün parçalarını, zaman aralıklarının ayırdığı anları, birbirinin gösterdiği, ama kime ulaştığını bilmediği işaretleri bir araya getirerek kusursuz kenti parça parça kuracağımı düşünürüm. Yolculuğumun sonundaki bu kentin mekân ve zaman içnide, bazen daha seyrek bazen daha yoğun da olsa, süreklilikten yoksun olduğunu söylüyorum diye, onu aramaktan vazgeçilebilir sanma sakın. Kimbilir, belki de biz burada konuşurken imparatorluğunun sınırları içinde bir yerlerde doğmakta bu kent; istersen bulabilirsin onu, ama ancak benim söylediğim şekilde.

Yüce Han atlasında kâbus ve beddualarla tehditler

savuran kentlerin haritalarını karıştırmaya başlamıştı bile: Enoch, Babil, Yahoo, Butua, Brave New World.[1]

Şöyle der: — Yanaşacağımız son liman, o cehennem kenti olacak ve giderek daralan bir spiral boyunca kasırga bizi orada dibe çekecekse her şey boşuna.

Ve Polo: — Biz canlıların cehennemi gelecekte varolacak bir şey değil, eğer bir cehennem varsa burada, çoktan aramızda; her gün içinde yaşadığımız, birlikte, yanyana durarak yarattığımız cehennem. İki yolu var acı çekmemenin: Birincisi pek çok kişiye kolay gelir: cehennemi kabullenmek ve görmeyecek kadar onunla bütünleşmek. İkinci yol riskli; sürekli bir dikkat ve eğitim istiyor; cehennemin ortasında cehennem olmayan kim ve ne var, onu aramak ve bulduğunda tanımayı bilmek, onu yaşatmak, ona fırsat vermek.

---

(1) Calvino ilk bölümde olumlu ütopyalardan, ikinci bölümde ise olumsuz ütopyalardan söz ediyor: hemen hepsi Ütopya (More), Güneş Beldesi (Campanella), Armoni (Fourier), New-Lanark (Galbraith), Enoch (İncil), Yaho(Swift), Brave New World(Huxley) gibi yazın dünyasının baş yapıtlarına konu edilmiş ütopik kentlerdir. (ç.n.)

ARKASÖZ

Italo Calvino

Italo Calvino 1960 yılı başlarında Amerika Birleşik Devletleri'nde uzunca bir geziye çıktı. Yale ve Harvard'a dek uzanan bu yolculuğun ilk durağı New York, hafifliği, saydamlığı ve kısacık tarihi ile Paris'in ve Venedik'te gizli San Remo'nun panzehiri olmasına karşın, Calvino'nun kişiye özel Atlas'ındaki ayrıcalıklı kentlerden biriydi: "*Geometrik, kristal, geçmişsiz, derinliksiz, dıştan bakıldığında gizsiz*" bir kent. Kubilay Han'ın rüyalarına giren "*...uçurtmalar kadar hafif, seyrek, dantel kentlerin, cibinlikler gibi saydam kentlerin, yaprak damarlarına, el çizgilerine benzeyen ve aldatıcı opak kalınlıkları içinden bakıldığında görülen telkâri kentler*"in günümüze düşen gölgesi.

İmgelem düzleminde Alain Robbe-Grillet de tutkundur New York'a: "*Bir imge yaratma sorunu yoktu artık biliyordum, gerçek bir kentten söz edip tümüyle düşsel bir kent yaratabilirdim*".(1) Calvino, bu düş kentinin Columbia Üniversitesi'nde, 'İtalyan Romanı'nın kimlik, dil ve coğrafya sorunlarından söz edecek, bu "*kendi içinde alt bölümlere ayrılamaz*" yazın ve kültür magmasında kendi yerini ve ilişkilerini saptamaya çalışacaktı: "*Herkes bana İtalyan Yazını'nın bugünkü durumuyla ilgili sorular soruyor... Fransız meslektaşlarıma gıpta ediyorum, hepsinin kesin cevapları hazır; kendilerini* 'nouveau roman' *ya da* 'l'ecole du regard' *çerçevesinde anlatıyorlar. Peki hiçbir okula ait olamayan ben ne yapmalıyım? İtalyan yazını gibi, gerçek, kendine özgü okulları olduğunu söylemesi zor, çok karmaşık ve birbirinden çok farklı yazar kişiliklerinden oluşan bir yazını nasıl anlatmalıyım?.. Fransızlar, ürünlerini uluslararası yazın panayırına, hemen popülerleşiveren etiketlerle sundular her zaman: 15 yıl önce Varoluşçuluk, 20 yıl önce Gerçeküstücülük vardı; oysa İtalyanlar tanımlanamaz bir malı satmak istiyorlar. 20-25 yıl önce İtalyan yazını 'anlaşılmaz'ın yazını olmak istediğinde onun da etiketli bir okulu vardı: Ermetizm. 15 yıl kadar önce, içgüdüsel ve basit bir dünyanın yazını olmak istediğinde gene bir etiketi vardı: Yenigerçekçilik*".(2)

Bu sözlerin, Calvino'dan söz etmeye soyunan birini pek yürek-

---

(1) C. Ossola, L'invisibile e il suo 'dove', Lettere Italiane, anno XXXIX, no.2, 1987, sy.239; krş. A.Robbe-Grillet, Projet pour une révolution a New York, Paris, Minuit, 1970.

(2) I. Calvino, Una pietra sopra, Torino, Einaudi, 1980, sy. 46-47.

lendirmediği açık. Araştırmacının, duracağı ve bakacağı noktayı seçerken 'yaşam - yapıt' öyküsünü bir ilişkiler ağına yerleştirerek yazara bir derinlik kazandırması, onun insan, aydın ve yazarlık serüveninde öne çıkarılacak izdüşümün hangi mercek altında odaklaşıp nerede yakıcılık kazandığını saptayabilmesi hiç de kolay değil: öncelikle, bir felsefe, metafizik, göstergebilim, sosyoloji ve psikoloji potasında magmalaşan bir yazının hücrelerine dek sinmiş çağdaşlık ve kimlik krizinin bir 'kristal geometrisi' ve sayılar dünyasında aradığı biçim ve düzen tutkusunu kavraması, sonra da bu tutkuyu 'masal'a dönüştüren labirentlere büyük bir imanla girmesi gerekiyor. "*Şairin imanı inanmazlığın iradi olarak askıya alınışıdır*" diyen Coleridge'den Calvino ve Borges'in -birbirinden habersizsöz edişi bir raslantı değil kuşkusuz.

Calvino yazınını uzmanlar sonsuz bir "*puzzle oyunu*" olarak tanımlıyor. Ancak bu 'körebeyi' okurun da oynaması gerek. Dilbilim'in, kişi adılları ile kurduğu bir gönderen-gönderilen, gösteren-gösterilen koridorunda okur, okur ve yazar olmayı, yazarın durmadan çoğalan 'Ben'i ile birlikte çoğalmayı ve oyun bittiğinde mozayik bir kimlikte yeniden tekilleşmeyi öğrenmeli. Yapısı ve diliyle cehenneme dönüşmüş bir yazıda ortaya çıkan 'ben-hakikat' uzlaşmaz ikilisinin sancısını masalda, mitik bir dünyada duymalı.

Calvino, kurmaca yazının tabularını 'Trilogia' ile zorlamaya başladı. Zaman ve mekânın tutsaklığından kurtulmak için masalı seçmesinde, 1956 yılında Einaudi için derlediği Fiabe İtaliane'nin (İtalyan Masalları) büyük etkisi yadsınamaz. Kitabın önsözü şöyle kapanıyordu: "*...şunu söylemeliyim ki bu bir sanrı, bir tür mesleki hastalık değildi. İşin başından beri bildiğim, daha önce de değindiğim bir inancımın sağlaması oldu bu deneyim: artık hiç kuşkum yok; masallar gerçektir*".(1)

Calvino'nun, savaş sonrası İtalyan Yenigerçekçilik'inin kısır döngüsünden kurtulup avant-garde Avrupa ve Fransız yazını ile bütünleşerek, yeni bir biçim ve dil arayışına girmesinde, onun 20 yıla yakın 'Paris keşişliği' döneminde Queneau, Barthes, Perec, Valery, Beaudelaire, Voltaire, Fourier ile kurduğu yakınlığın yanı sıra, Proust, Joyce ve Kafka, Stevenson, Kipling, Dickens, Nievo, Allan Poe'nun ve '45'lerden başlayarak hemen hemen tüm genç İtalyan yazarlarını etkileyen Amerikan yazınının büyük rolü vardır.

---

(1) I. Calvino, Fiabe italiane, Torino, Einaudi, 1956, Int.

Özellikle avant-garde Fransız yazınına duyduğu yakınlık, Calvino'un yazar kimliğinde zaman zaman yaşadığı içsel bir topos ikileminin sorumlusu olabilir: "*Belki de bir İtalyan yazar değilim ben. Belki bir Fransız yazarıyım*" dediğini aktarır Daniele del Giudice. (1) Oysa bu ikilem hemen her zaman İtalyan'lıkta yatışacaktır. Nitekim Calvino, Maria Corti ile bir buçuk yıl süren yazılı söyleşisinde bunu kabul eder: "*İtalyan yazını bana tıpatıp uygundur, ve kendimi onun dışında bir yerde asla düşünemem*".(2)

Gerçekten de Calvino hiçbir kültür ve yazına, Dante'ye, "*...çılgın bir şiirde böylesine yaşam aşkıyla dolu, böylesine gerçekçi, böylesine insan*" diye söz ettiği Ariosto'ya, Galileo ve Leopardi'ye yakın olduğu kadar yakın olmadı. Calvino poetikası'nın vasiyetnamesi 'Lezioni Americane' (Amerika Dersleri) bunun kanıtı sayılabilir. İtalyan yazın ve geleneğiyle yakından tanışık biri, kitabın hücrelerine sinmiş bu geleneğin, Calvino'nun 2000'li yıllar için önerdiği, Hafiflik, Sürat, Sağınlık, Açıklık, Çoğulluk ve Tutarlılık (bu bölüm tamamlanmamıştır) gibi değerleri irdeleyen en etkin sözcü olduğunu sezecek; Calvino'ya, tüm zenginliği ve çeşitliliği ile arka çıkan dünya yazınının, kitabın hiçbir yerinde onu unutturamadığını, bastıramadığını hemen görecektir. Gelecek için bırakılan öğütlerin gerisinde, Dante, Cavalcanti, Galileo, Leopardi ve Gadda ile Sicilya masalları, Geç Rönesans kargaşasından katı bir politika dersi çıkaran Machiavelli'nin çağdaşı, alaycı, güvensiz, hüzünlü, ama gülen masal ustası Ariosto vardır. Onun kahramanlarını geleceğe taşır Calvino: "*...Orlando'yu, Angelica, Ruggiero, Bradamante, Astolfo'yu yönlendiren şey, geçmişe değil, geleceğe yönelik bir enerjidir, bundan kesinlikle eminim...*"(3)

Calvino yazınının 'masal' ve 'gerçek' arası dinamiği, 'ütopya' ile ilişkisi, "*çöp ve karıncalarla*" kaplı bir dünyanın ortasına açtığı labirent, Saussure'ün, 'göstergenin nedensizliği' ilkesinden yola çıkarak, Claude Levi-Strauss ve Barthes'ın öğretisinde, insan-hakikat ilişkisini yazının baş kişisi yapar, Chomsky'nin izinde onu durallıktan kurtararak korkunç bir devinimin öznesi kılarlar. Calvino, Apollinaire'in 'Serüven versus Düzen' denklemini 'Düzen içinde Serüven' olarak yeniden kurar. Schopenhauer'in 'bunalım'ı, denklemin

---

(1) D. Del Giudice, Un écrivain diurne, Magazine Litteraire, No.274, 1990, sy.28.

(2) M. Corti, La formation d'un écrivain, Magazine Litteraire, No.274, 1990, sy.22.

(3) I. Calvino, Una pietra sopra, a.g.e. sy.57.

üçüncü 'bilineni'dir. Bu üç bilinenli denklem'i çözmek için seçtiği biçim ve üslup onu evrensel avant-garde yazının önemli üyelerinden biri yapacaktır.

Avant-garde bir sanatsal ereğe politikadan arınmışlığı da eklersek, savaş sonrası İtalyan kültür arenasında kişinin ödeyeceği bedel marjinallik ve sorumsuzluk damgasıydı. Çünkü o yıllarda yazının en büyük değeri bulduğu borsa politikaydı. Calvino'nun, bir daha ayrılmamak üzere masal ve düş boyutuna yöneldiği Trilogia'dan başlayarak, Yenigerçekçi iklimin empoze ettiği politik sorumluluğu giderek reddetmesi, tıpkı Ermetikler gibi, onu da büyük saldırıların boy hedefi yaptı.

Bilinçsiz de olsa, İtalyan aydını o ana dek bir saray adamı, mesenlerin sanat danışmanı olmuş, ancak kendisine özel bir alay ve küçümseme adası ayırarak, özgürlüğünü bu alanda korumaya çalışmıştı. Yeni Kapitalizm, saray şairlerini şirket yönetimlerine çağırıyor, ayrıcalıklı ve yüksek maaşlı Machiavelli modelleri öneriyordu. İtalyan gerçeği hızlı bir değişimle yüzyüzeydi; bir tarım toplumu sanayi toplumuna dönüşüyordu: en güvenli yol 'sistemin bir parçası' olmaktı. 'Visconte Dimezzato'nun (İkiye Bölünmüş Vikont) kahramanı genç Medardo gibi İtalyan aydını, yazar ve sanatçısı, kafasının bir yarısıyla 'patron'a hizmet ediyor, diğer yarısıyla da bu durumu protesto ediyordu. Uzlaşma, üstesinden gelinemez bir nevroz çıkarmıştı ortaya. Calvino bu nevroz'u kendince şöyle çözümlüyordu: "..*Keşke her şey böyle ikiye bölünebilse, (...) böylece herkes bön ve cahil bütünlüğünden kurtulabilse. Bir bütündüm ben ve her şey doğal, karmakarışık ve anlamsızdı gözümde; her şeyi gördüğümü sanıyordum, oysa gördüğüm bir kabuktu yalnızca. Eğer bir gün kendinin yarısı olabilirsen, ki bunu bütün gönlümle dilerim, bütünlüğü olan beyinlerin sıradan zekâsını aşan şeyleri anlayacaksın. Kendi yarını ve dünyanın yarısını yitirmiş olacaksın, ama geride kalan o yarı, bin kez daha derin, daha değerli olacak. Hatta her şeyin sana benzer şekilde ikiye bölünüp parçalanmasını isteyeceksin, çünkü güzellik, bilgelik ve adalet parçalardan oluşan şeyde vardır.*".(1)

Bütünlüğünü korumak isteyenler için politik ve sosyal alanda demirleyecek en sağlam liman İtalyan Komünist Partisi'ydi. Faşizmin ardından gelen müthiş bir coşku ve özgürlük ortamı, İtalyan Komünist Partisi'ni aydın için şaşmaz bir kimlik aracı haline getir-

---

(1) I. Calvino, Visconte dimezzato, Torino, Einaudi, 1952, sy. 51-52.

miş, ve yazın, Tarih ve politika ile içli dışlı bir ilişki içinde, özyaşamsal öykülerin hücumuna uğramıştı. Yazın, dil ve politika'nın işlevleri kördüğüm olmuş, ideal bir birey ve aydın tanımı gitgide zorlaşmıştı. Gerçek İtalyan intelligenzia'sının ilgilendiği belli başlı konu, birey, toplum ve dil sorunları ile aydın'ın 'doğru' yeri idi. Marksist ideolojinin revizyonunu talep eden Nuova Officina, sanayi ve yazın arasındaki zorlu ilişkiyi irdeleyen Il Menabò, Politecnico gibi dergiler, Calvino'nun, "*Risorgimento'yu bile geride bırakan en büyük halk dayanışması*" olarak tanımladığı, ussal, sosyal, kolektif ve özyaşamöyküsel Yenigerçekçilik ikliminin labirentlerini yepyeni bir yazıyla zorluyorlardı. P.P.Pasolini, ustası Carlo Emilio Gadda'nın izinde, yazını dil ve lehçe çeşitlemeleri ile bir tür deneyimciliğe açıyor, Vittorini, "*Politika ile kronik yazılır, Tarih'i yapan şey Yazındır*" sloganıyla, yazını politikaya araç kılmak isteyen Togliatti'ye karşı müthiş bir savaş sürdürüyordu.

İtalyancanın mucidi Dante'nin Toscana dili, Petrarca, Boccaccio ve Pietro Bembo örneklerinde geliştikten sonra, her büyük krizin ardından bıktırıcı bir biçimde boy gösteren Klasisizm'e yönelerek, 'toscano'yu unutmuş, Barok dönemde kulağa yönelerek anlamsızlaşmış, Gerçekçilik akımıyla ise özünü tümüyle yitirerek, bir anlatı aracı olmaktan öteye geçememişti. Dil artık özgürleşmeli, araç değil öz olmalı, kendi başına varolmalı, kendi kurallarından emir almalıydı. Bu bağlamda, düzyazı geleneğinden yüzyıllar boyu yoksun kalmış İtalyanlara, Klasisizmle göbek bağını koparmış İtalyan örnekler bulmak kolay değildi. Alain Robbe-Grillet önemli bir yabancı model oldu: Robbe-Grillet dil sorunlarının öne çıkarıyor, sanatın, dünyadaki kaosun bir kanıtı olması gerektiğini söyleyerek, insansız bir romanın, gerçeküstüne yönelmesinin gerekliliğini savunuyordu. Nesnelerin insan üzerinde müthiş bir zafer kazanacağı konusunda kehanette bulunmuştu, haklı çıktı. Robbe-Grillet ve Ecole du Regard ile ara ara giriştiği kavgalara rağmen, Calvino bu konuda onun hakkını teslim ediyordu: "*Robbe-Grillet yazısıyla, yaşadığımız gerçeği tam tamına yansıtan bir dünya modeli kurmuştu, o kadar ki, bunu ister paylaşalım ister paylaşmayalım, bugün hâlâ o modelden ayrılmak mümkün değil, özellikle betimleme, yani şeylerin özünü vermek söz konusu olduğunda*".(1)

Sosyoloji alanında Frankfurt Okulu'nun etkileri ancak '50 li yıl-

---

(1) G. Bonura, Invito alla lettura di Calvino, Milano, Mursia, 1987, sy.110.

ların sonuna doğru ulaştı İtalya'ya. Bu dünyayı değiştirme girişiminin ereği sanayi kültürüne başkaldırmaktı. Adorno ve Horkheimer'e göre, sanat Sisteme ne kadar başkaldırırsa kaldırsın, gene sanayi kültürünün bir parçası olacaktı. Geçerli tek sanat, biçimde uygulanacak kaos aracılığı ile, kargaşayı, insanın yitmişliğini ve kimlik sorununu üreten bir sanat olabilirdi ancak.

Tüm genç İtalyan yazarların, faşizme karşı ortak bir ülküde direniş hareketine katıldıkları yılları izleyen bu dönemde, İtalyan yazınının en büyük sorunu, Yenigerçekçiliğin özyaşamöyküler girdabından çıkabilmek, estetik idealleri gözardı etmeksizin, ideolojik seçimleri yazına taşıyabilmekti. Trajik bir ilk gençlik döneminin ardından, aydının yazına duyduğu tutkunun, dünyanın yazgısı ile ilgili tutkularla bütünleşmesinden doğal ne olabilirdi? Hepsi dünyayı ve yaşadığı dönemin önem ve trajikliğini aktaracak sözcükler, imgeler arıyordu.

Alplerin ötesinden İtalya'ya süzülen ve Yenigerçekçilik iklimiyle yüzyüze gelen yeni kültürün benimsenme aşaması ve kavgası sırasında Calvino, ilk kitabıyla, bir çocuğun gözünde daha da sorunsallaşan "*faşizm içinde varolma*" sorununu gene yenigerçekçi bir bakış açısından ele almıştı: Il Sentiero dei Nidi di Ragno (1947). Satır aralarını okumayı bilen herkes, bu kitabın, Calvino'nun ileride seçeceği düşsel yazının ilk habercisi olduğunu anladı: ergin yerine bir çocuk seçmiş, onun gözünden bakarak gerçeği çarpıtabilmiş, ussal ve ideolojik kalıpları zorlamıştı. 1949'da ikinci kitabı 'Ultimo viene il corvo' çıktı. Özellikle 'direniş hareketi ile ilişkisi açısından Sentiero'ya bağlanabilecek bu öyküler, yer yer görülen serüven-masal temalarıyla düşsel yazına gizil bir ilginin varlığını doğruluyordu.

Italo Calvino, '60'lı yılların ortalarına dek gerçek ile masal arasında gitti geldi. Yakın dostu Pavese ona "*kalem sincabı*" adını takmıştı. *Marcovaldo, La Vita Difficile, Gli Amori Difficili, La Giornata di uno Scrutatore* gibi roman ve öykülerde, günlük gerçek'e, çevre ve politika'ya ilişkin sorunları belgesel bir yazıda irdeliyor, bu sorunları, öyküyü yaratmaktan çok, öykünün yarattığı bir kişinin bilincinde, alaycı bir gülümseme ile ele alıyordu. Gerçek anlamda masala geçiş süreci, '*Trilogia dei nostri antenati*' de toplanan (1960) Il Visconte dimezzato (İkiye Bölünmüş Vikont) (1952), Il barone rampante (Ağaca Tüneyen Baron) (1957), ve Il cavaliere inesistente (Varolmayan Şövalye) (1959) ile gelişti. "*...modern yaşamın ritmini göstermek için Charles Magne şövalyelerinin savaş ve düellolarını an-*

latmaktan daha iyi bir yol" düşünemediğini söyleyerek(1), belgesel ve gerçekçi yazıdan uzaklaşıyor, gene allegoriden güç almasına karşın düşselliğin kapılarını aralıyordu. Henüz gerçekten kesin bir kopma değildi bu: gerçeğin parabolü işlevini yüklenen bir 'masal'dı. Ancak, ileride Calvino'nun adını büyük labirent ustalarının hanesine yazacak usdışı bir yazıya atılan ilk adımlardı.

Gerçekle arasına koyduğu uzaklığı artırdıkça Calvino, aktif politika ve gazetecilik yaşamından uzaklaştı. '55 Macaristan utancının ardından, '57'de İtalyan Komünist Partisinden resmen ayrıldı, onun yayın organı Unità ile de aktif ilişkisini kesti. Tek mesleği edebiyat olan muhalif aydın kimliğini bir daha hiç değiştirmedi.

Bu bilince ulaşmada kendi kuşağının Ermetizm'den aldığı yaşam dersini yadsımaz Calvino: "*Gençliğimizin şairinin Montale olması boşuna değildi: onun kapalı, katı, zor, kişisel ve intim bir ilişki dışında, Tarih'le tüm bağlarını koparmış şiiri hepimizin çıkış noktasıydı: onun kayalık, kuru, buzul, negatif ve düşlere kapalı dünyası kök salabileceğimiz en sağlam toprak oldu... Pek küçümsenecek bir miras değil: Montale, Ungaretti, Bilenchi... emin olabileceğimiz şeylerin, yaşanacak büyük acılara gebe ve çok seyrek olduğunu öğrettiler bize; bir stoacılık dersiydi bu*".(2)

Ancak Calvino, sosyal, kültürel ve politik gerçeklerden kopukluklarını sert bir dille eleştirdiği Ermetikler'in fildişi kulesine çekilmedi. Zekânın karamsarlığı ile iradenin iyimserliğini savunan Gramsci geleneğine bağlılığını sürdürüyor, Pintor'un izinde, 'muhalifliğin keskin zekâsı' olacak bir yazını talep ediyordu. "*Zekâ ve irade: bunları önermek bile bireye inanmak, onun ayrışmasını reddetmektir. Bugün hiç kimse, tarihsel sorunları çoğul, kitlesel ve sınıfsal açıdan ele almayı öğrenmiş, bu ilkeleri benimsemiş kişiler arasında kavga veren biri kadar, bireysel kişiliğin değerini, bireysellikte ne denli kararlılık bulunduğunu, kendisi ve başkaları için bireyin her saniye ne çok seçim yapabileceğini öğrenemez; özgürlüğü, sorumluluk ve dehşeti tanıyamaz. (...) Bizi her şeyin ötesinde ilgilendiren şey, insanın geçirdiği sınavlar ve bunların üstesinden gelme biçimidir. En uzak masallar hep bunu anlatır: ormana bırakılmış çocuk, vahşi hayvanlar*

---

(1) I. Calvino, La galerie de nos ancetres, Magazine Litteraire, No.274, 1990, sy.36.

(2) I. Calvino, Tre correnti del romanzo italiano d'oggi, (1959'da Columbia, 1960'da Harvard ve Yale üniversitelerinde İngilizce verilen bu konferansın metni) İng.: Italian Quarterly, No.IV, 13-14, 1960; ital.: Annuario commemorativo del Liceo-Ginnasio "G.D.Cassini", San Remo, 1960.

ve büyülere karşı savaşan şövalye, insanla ilgili bütün Tarihlerin değişmez örgüsünün, ahlak simgesi bir kişinin, acımasız bir doğada ya da toplumda yaşayarak kendisini gerçekleştirdiği büyük, örnek roman kurgularının temel ögeleridir".(1) Bu yaşam dersi Calvino'nun yaşama bakışını biçimlendirir: 'aydın sürekli muhalefette' olmalı, her türlü Sistemle bütünleşmeyi reddetmeli, sosyal gerçekleri, bütünlüğü içinde daha iyi görüp değerlendirebilmek için, kendisini uzaklara taşımalıdır. Bu ilke '*Trilogia*'da metafora dönüşür: *Visconte dimezzato*, 'gerçek ben'in 'önerilen ben' ile yaşadığı ikilemi, *Varolmayan Şövalye*, işleviyle özdeşleşmiş tek boyutlu insanın, bilincine bile varamadığı yabancılaşmışlığını anlatır. *Ağaca Tüneyen Baron* ise, insana uzak bir bakış önerir. Calvino uzmanlarının 'pathos della distanza' (uzaklığın acısı) tanımıyla açıkladığı bu yeni çözüm Görünmez Kent Bauci'de çoğul bir yaşam biçimine dönüşecektir: "*... Yerde nadiren görülür Bauci sakinleri: gerekli her şey vardır yukarıda, bu yüzden aşağıya inmemeyi yeğlerler... Bauci sakinleri ile ilgili üç varsayım var: Dünya'dan nefret ettikleri; ya da onu, her türlü temastan kaçınacak kadar saydıkları; Dünyayı kendilerinden önceki haliyle sevdikleri, dürbün ve teleskoplarını aşağıya çevirip kendi yokluklarını hayranlıkla seyrederek, tek tek her yaprağı, her taşı, her karıncasıyla onu bıkıp usanmadan inceledikleri*".

La giornata di uno scrutatore, (Sandık Müşahidi) 50'li yılların ideolojik sorunları ve biçimsel seçim arayışlarından 60'lı yılların yabancılaşma, ve kimlik sorunlarına geçişte, Calvino yazını açısından önemli bir yol sapağı idi. Gerçek, yakından dövüşülemeyecek kadar kaypak ve çoğuldu, insan, kendisine ve dünyaya yabancılaşmış, donmuş, ve Tarih'in dışına sürüklenmişti. Toplum, bütün sektörlerinde kristalleşmiş, durallaşmıştı. Üretim-tüketim ideolojisi, özgürlük ve yaratıcılık olanaklarını tümüyle almıştı bireyin elinden. Kültürel veya politik en köktenci yanıtlar, en tümel karşı çıkışlar Sistemin bir parçası oluyor, "*düşüncelerimizi yayan araçlar (...) düşünmemizi engellemeye çalışıyordu*".(2) Calvino'nun keskin, alaycı ve hüzünlü bakışı topalların, delilerin, 'canavarların' üzerine çevrilmişti. Roman, aydın bilincini kemiren ahlak sorununu, aydınlanmacıların büyük düşü insan-doğa-tarih uyumunun artık geri dönülmez bir biçimde yitmişliğini sorguluyordu.

---

(1) I. Calvino, Il midollo del leone, Paragone, no.66, 1955, sy.23.
(2) I. Calvino, Arrabbiati, Le Conferenze dell'Associazione Culturale Italiana, 1961-2, p.33.

Yaygın bir sanayi kültüründe kişinin referansı, artık nesneler ve 'şeyler'e karşı sürdürülecek aktif bir kavga olamazdı. Yeni karşı koyma yolları bulunmalıydı. Yazında, yazar-okur arası yeni iletişim biçimleri araştırılmalı, yazının biçimi ve işlevi değişmeli, yazın diğer bilim dallarına açılmalıydı: "*Bireysel dilbilimin, bilim olarak kalmak istiyorsa, eninde sonunda yazına, integral bir yazıya dönüşeceğini ve şu an için yalnızca yazın'ın tekelinde bulunan dil zevkini de kendisi için talep edeceğini*" savunan Barthes'a, "*...bilime onun kendisine güvendiğinden daha çok güveniyor*" diyerek, ilgiyle ama aynı zamanda biraz kuşkuyla bakarken, Queneau ve arkadaşlarının matematikle oynadıkları imgelem ve zekâ akrobasisinin keyfine de kapılmadan edemiyordu: her iki kutbun da sınırlarının bilincinde, her ikisinin de cazibesine kapılıyor, ikisi arasında gidip geliyordu.(1)

Ancak, bütün cazibelerin ötesinde, bilim-yazın-felsefe osmosunda da İtalyan geleneğine gizil ve köklü bir bağlılık duyar Calvino: "*...Bilim adamı Galileo'nun dünyaya bakışını yönlendiren ülkü de yazın kültürüyle beslendi. Öyle ki bu bağlamda, bir Ariosto-Galileo-Leopardi zinciri kurabiliriz. (...) Dante edebi sözcüklerle bir evren imgesi kurmaya çalışmıştı. İtalyan edebiyatının Dante'den Galileo'ya geçen en yakıcı tutkusuydu bu: yazınsal yapıtın dünyanın, ve bilginin haritası olması; tanrıbilimsel, kurgusal, ansiklopedik veya düşsel alanda olsun, hep fiziksel tanımadan yola çıkan bir yazın; bütün Batı yazınında da varolmasına karşın, İtalyan yazınında çok baskın olan, onu diğer yazınlardan çok farklı, güç ama bir o kadar tek kılan bir tutku. Bu özelliğin son birkaç yüzyıldır unutulmuş olması İtalyan yazınının önemini azalttı. Şu günlerde izlediğim yolun beni yeniden İtalyan yazınının bu zengin yatağına doğru götürdüğünü duyuyorum*".(2)

1960'ların ortasında, Calvino, Gerçek'in kaypaklığı ve göreliliğini açıklayabilecek sınanmış tüm tanımsal ve anlatımsal araçların, biçimsel çözümlerin yetersizliğinin bilincindedir artık. Yapısalcı ve Göstergebilim ikliminin yeni bir boyutta algıladığı evrene, insan ve yazın kavramlarına ve bunların iç dinamiğine açar yazısını: her şeyi yeniden yaratabileceği bir sıfır noktasını seçerek, Tarih ve Coğrafya'nın dışına çıkar. Oscar Wilde, yaşamının hangi anında olursa olsun, insanın tüm geçmişinin, tüm şimdisinin ve tüm geleceğinin bizzat kendisi olduğunu söylerken Marco Polo'nun *Görün-*

---

(1) I. Calvino, Una pietra sopra, a.g.e., sy.185;186
(2) I. Calvino, Una pietra sopra, a.g.e., sy.186-187.

mez Kentler'e yaptığı zaman ötesi yolculuğu anlatır sanki. Efesli Herakleitos da "*insanın yazgısı kişiliğidir*" demiş ve aynı sürekliliği vurgulamıştı. '65 sonrası Calvino yazınında da, zaman ve mekânın dışında, düşsel atlaslarda, anı ve arzularda sınanan özgürlük tutkusu, kimlik arayışı, göstergeler arasında bir gösterge olmaktan öteye gidemeyen insanın varolma çabaları kesin bir seçim olacaktır artık. Özgür imgelemin bedeli haline gelen zaman ve mekândan kopmuş bir varoluş karşısında duyulan dehşet duygusu, Calvino'yu Borges'in labirentine yaklaştırmaktadır ağır ağır.

Cosmicomiche'nin (1965) ilk öyküsü 'Un segno nello spazio'da Qwfwq, evrenin oluşumu sırasında bomboş uzayın bir köşesine bir işaret koyar. Milyonlarca ışık yılı sonra tekrar döndüğünde onu bulamayacak, müthiş bir yitmişlik ve karamsarlığa yuvarlanacaktır. Bu karamsarlığın nedeni özgürlüğünü bulur bulmaz, insanın bu özgürlüğe de yabancılaşmasıdır. Bir göstergeler dizgesine dönüşen evrenin kurulmasına insanın da katkısı olmuş, özgürlüğünü 'uzaya yaptığı bir işarette' nesnelleştirerek dünyayı bir nesneler denizine çevirmiştir. Kendi işaretiyle dış dünyaya açılıp gene o işarette yabancılaşan insanın kimlik krizi, Leopardi'nin hiçlik ve sonsuzluk sancılarını çağrıştırırken, diyalektiğin işlevini de reddeder: "*Bir referans noktası saptamanın hiçbir yolu yoktu artık, Galaksi çılgınca dönüyordu, ama ben bu dönüşleri sayamaz olmuştum, herhangi bir yer ilk hareket noktası olabilirdi, diğerlerini örten herhangi bir işaret benimki olabilirdi, kendi işaretimi bulmanın bir anlamı da olmayacaktı, zira işaretler olsa da, olmasa da uzay yoktu, belki de hiç varolmamıştı*".(1)

Kendi simgesini simgeler arasında yitiren Qfwfg'in, uzayın varlığından şüphe etmeye dek varan hiçlik korkusu, ve yalnızlığı, imparatorluğunu *Görünmez Kentler*'de tanımaya çalışan Yüce Han'ın hüznünü anımsatır: "*Tüm amblemleri tanıdığım gün nihayet imparatorluğuma sahip olabilecek miyim*" diye soran İmparatora Marco'nun cevabı acımasızdır: "*Hiç heveslenme hünkârım, çünkü o gün sen kendin amblemler arasında amblem olacaksın.*"

Calvino için bir sonraki aşama, Umberto Eco'nun 'Lector in fabula' ilkesini benimsemek ve yazar-okur arasındaki gönderen-alan ilişkisini değiştirmek oldu: Il castello dei destini incrociati için Segre: "*Calvino, Okuru iletişim zincirindeki terminal konumundan kopa-*

---

(1) Italo Calvino, Le Cosmicomiche, Milano, Garzanti, 1988, p.50.

rıp aldı, onu Anlatan ile aracısız bir ilişkiye soktu" diyordu.(1) Bir deste Tarot kâğıdı, Propp ve Greimas'ın izinde mozayik bir roman kurguluyor, okuru masala yazar kılıyordu. Tarot destesi, her kartın çoğul anlamı ve üzerindeki sayı ile bir göstergeler dizgesi oluşturan ve imgelemi doruğuna çıkaran, binbir öykü yaratabilecek bir makineydi. Her figürün anlamı, tıpkı sözcükler gibi içerikle sınırlıydı bu kurguda. İçerik ise her kişinin kendi öyküsünü anlatmak için kartlarla kurduğu mozayikten oluşuyordu. Romanı kurgulayacak bir makine düşü gerçekleşmişti: "*Eğer arada ben olmasaydım ne iyi yazardım! Şu beyaz kâğıt ve kimsenin yazmasına gerek kalmadan biçimlenen ve sonra yokolup giden sözcük ve öykülerin kaynaması arasına ben, o rahatsız perde girmeseydi!*"(2) Yazarı dışlayan ve özgürce işleyen bir kurgunun, Tarot kâğıtlarıyla yarattığı çoğul yaşamlarda, insanın kendi yazgısını okumaya çalışması müthiş bir yabancılaşmaydı.

Lezione americane'nin Çoğulluk bölümünde Calvino bu ve bundan sonra gelecek romanı '*Se una notte d'inverno un viaggiatore*'yi, *birer 'iper-roman'* örnekleri olarak tanımlar ve Borges yazınının olasılıklar ağı modeli ile açıklar: "*Se una notte... 'de niyetim, ortak bir çekirdeği farklı biçimlerde geliştiren, bu biçimleri şartlandıran ve onlarca şartlanan on roman girişinde özümleyerek, romanesk'in özünü vermekti. Anlatının çeşitlilikte üreyebilme gücünü örnekleme ilkesi, bir başka kitabımın, Il castello dei destini incrociati'nin temelini oluşturur. Kitabın amacı, Tarot destesi gibi, birçok olası anlam yüklenmiş figürlerden hareketle, anlatıları çoğaltacak bir makine olabilmekti*". (3) Romanesk'in eski sağlam yapısı çözülmüş, puzzle dağılmıştır. Artık tek geçerli kurgu, şeylerin ve dokunulabilir nesnelerin kurgusu olabilir: Romana örgü konusu ve biçimsel model verecek tek şey puzzle'dır. Kitabın girişinde Calvino bunu açıkça söyler okuyucuya: "*Sakın yeteneğimle büyülenme, benim marifetim değil bu, bir sürü yazarı ve bir sürü göstergebilimciyi taklit ettim. Benim becerim, çağdaş romanı bütünlüğü içinde ele alarak, ondan bana geçen öneri ve dürtüleri aktarmayı bilmek oldu*".

Yarıda kesilen bu 10 roman girişiyle 'okuma' sorunsalını da irdeler Calvino. Bu noktada Barthes'ı anımsamak yararlı olabilir: "*As-*

---

(1) R. Melle, Lo specchio del viaggiatore di Calvino, "Misure Critiche", ottobre-dicembre 1980, sy.145.
(2) C. Ossola, L'invisibile e il suo 'dove', a.g.e., sy.220.
(3) I. Calvino, Lezioni americane, Garzanti, 1989, sy.117.

lında okuma bir bireysel dil işidir. Okuma, anlamları bulmak, onlara bir ad vermek demektir; ancak, adlandırılmış bu anlamlar diğer adlara taşınırlar; adlar birbirini çağırır, kümelenir ve onların kümelenmesi yeni bir adı talep eder..."(1) Okuma birini, diğer bir kişinin, bir metnin veya 'ben'in karşısına koymak değildir. Barthes, bütün çağdaş yazarlar gibi şu noktada ısrar eder: "*Metne yaklaşan 'ben'in kendisi, diğer metinlerden; sınırsız, daha doğrusu kaynağını yitirdiğimiz şifrelerden oluşmuş bir çoğulluktur.*"(2) 'Se una notte. ...'de bazı bölümlerin birkaç kez yinelenmesi de (ki bu, romanın kahramanları Okur ve Kadın Okur'a bir ciltleme hatası gibi görünür) amaçlıdır sanki. Metnin çoğulluğuna kolayca açılabilmek ve ilk okumada gözden kaçan anlamları yakalayabilmek için, okumanın bir "*yeniden okuma*" olmasını öğütleyen Barthes'ı anımsatır gene: "*... metni bir tüketim nesnesi haline getiren ideolojinin dışına çıkmalı, metinle bir oyuna girmeliyiz, zira böyle bir okuma, onu, farklılığı ve çoğulluğu içinde çoğaltacak, yani onu içsel kronolojisinin dışına çıkaracaktır.*" (3) Bu bir çoğalma oyunudur. Şöyle devam eder Barthes: "*... metni ikinci kez okuyorsak, bunun amacı bir oyundur: amaç gösterenleri çoğaltmaktır, herhangi bir son anlama ulaşmak değil.*"

Palomar'da (1983) Calvino dünyayı betimlemeye yönelir. Daha Görünmez Kentler'de nesnelere karşı duyduğu güvensizlik insanı suskunluk ve eylemsizlikte kitliyordu. Görünmez Kentlerde "*yalan, sözlerde değil şeylerdedir*" demişti. Ancak dış dünya hep oradaydı ve de sözcüklerden bağımsızdı; sözcüklere indirgenemez, hiçbir dil, hiçbir yazı onu tüketemezdi. Betimleme nesnelerin özüne varmada bir çözüm olabilir miydi? Palomar, gözler, betimler, sorgular ve sınıflandırır. Tatildedir, kumsalda, uzakta bir dalganın doğduğunu, büyüdüğünü, yaklaştığını, biçim ve renk değiştirdiğini, kendi üstüne kapandığını, kırıldığını, yok olduğunu ve sulara karıştığını görür. Bu noktada, yapması gerken işlemi tamamladığına ikna olabilir ve çekip gidebilir aslında. Ama gitmez. O dalgayı diğer dalgalardan ayırmak ister ve anlar ki, bir dalgayı, onu izleyen, onu iter gibi görünen ve onunla birleşen dalgadan ayırmak ve sınırlamak olanaksız. Evren ve insan, doğa ve onu betimleyen dil, insanın bütünlüğü ve gerçeğin çoğulluğu arasındaki gizli ilişkiyi arayışı ile Valery'nin Monsieur Teste'ine benzer. Dünya-

---

(1) G. De Mallac, Che cosa ha detto veramente Barthes, Roma, Ubaldini, 1973, sy.98.
(2) aynı yer.
(3) G. De Mallac, a.g.e., sy.99.

nın karmaşıklığı ve anlaşılmazlığı karşısında bütünlüğünü yeniden kurmaya, kendi varlığına bir anlam vermeye çalışır. Hiç konuşmaz; dalgaların, otların, kuşların alfabesini çözmeyi dener yalnızca. Yaşamaz, kendi yaşamını seyreder. Bu durallığı ile roman'ın, eylemden yoksun bir 'beyin romanı' olduğunu söyleyenleri Calvino "*Evet, Palomar bir eylem adamı gibi görünmüyor ama alışverişe çıkıyor, ve de önemli bu*" türünden bir cevapla yanıtlıyordu.

1984'de Calvino'nun dikkati tuhaf sergilere, heykellere, koleksiyonlara çevrilir. Palomar ile başlayan, ideolojik yüklerden ve öz nesnellikten arınma çabaları, nesnelerin bekâretine ulaşmaya yönelir. Dünya, izlerin, doğal ve insan yapısı nesnelerin tüm somutluğu içinde göründüğü yerdir. Göstergelerin dilini öğrenmeye, geçmişini aramaya koyulur: "*Hüzünlü -belki de mutlu- kum koleksiyoncusunun tuttuğu güncenin şifresini çözerken, yaşamım boyunca peşpeşe dizdiğim o sözcükler kumunda ne yazılı olduğunu sorgulamaya başladım, o kum ki şimdi, yaşamın kumsalları ve çöllerinden çok uzak görünüyor bana. Belki kumu kuma sözcükleri sözcüklere hapsederek paramparça ve aşınmış bir dünyanın, orada hâlâ nasıl ve ne ölçüde bir temel ve model bulabileceğini anlayabilirdik.*"(1) Calvino kumu kuma, sözcükleri sözcüklere hapsetmekle, yazıyla da olsa, tarihin kaotik devinimine müdahaleyi reddediyor, doğal, sosyal ve tarihsel olayları kaydetmekle yetiniyordu. Diyalektik donmuştu.

1945'lerin özgürlük coşkusunda doğan ve erken gelen düş kırıklıklarıyla tarafsız bir alaycılık ve derin bir mit perspektifi içinde soyuta yönelen Calvino yazını, hiçbir şeyi kuramsallaştırmadı, yalnızca uyguladı. Soyut düşünce adamlığına, bilim adamlığına soyundu, öznel bir, 'kişisellikten arınmışlık' geleneği kurdu. Sanatın gelişmesini kişiliğin sürekli yok edilmesi olarak algıladı, acı çeken insan ile yaratan akıl arasındaki ayırımı anlattı. Soyutlaştıkça karamsarlaştı: yarım kalan '*Sotto il sole giaguaro*'da beş duyumuzun ilkel güdüler olduğunu, bu güdülerin Tarihin bütün kurallarını çiğnediğini, insanlık bu duyuların tutsağı oldukça, üstün bir uygarlık kurmanın sadece bir düş olduğunu söylüyordu, ama sözünü bitiremedi: Siena'da bir beyin ameliyatı sonrasında bir ara ayılır gibi oldu, gövdesinden çıkan serum tüplerine bakarak "*kendimi bir avize gibi hissediyorum*" dedi ve öldü. "*Norton Lectures*" için davet edilen ilk İtalyan olacaktı, olamadı.

---

(1) G. Bonura, Invito alla lettura di Calvino, a.g.e., sy.113.

Görünmez Kentler'i hazırlayan Paris yıllarında, Calvino'nun kafasını ve yazı masasını meşgul eden iki önemli adam vardı: Queneau ve Fourier. Calvino ikisini de çevirdi, ikisi için de yazdı. Avantgarde yazının, dili ve metni silah seçerek, yerleşik biçim ve değerlere başkaldırdığı bir dönemde Calvino'yu, "*inatçı, berrak bakışlı*" Fourier'ye, en az Ariosto kadar deli bu sosyal simyacıya bunca çeken şey neydi?

Queneau ve Barthes da Fourier ile ilgiliydi. 'Odes a Charles Fourier'de Breton, onu gerçeküstü devriminin babası ilan etmişti. Belki de Paris'te biriken öfke, 'farklı bir dünya' özlemiyle eski ütopyaları karıştırıyordu. 'Eski'miydi Fourier? "*Yirminci yüzyılın ikinci yarısında Fourier'yi yeniden okumak, avant-gard'lığın tarihini: Breton ve Queneau'yu Klossowski ve Blanchot'yu, Butor ve Barthes'ı tekrar katetmektir*" diyordu Calvino.(1)

Calvino 'Per Fourier' adıyla üç yazı yazdı: aslında ütopya ile hesaplaşıyordu: 'biçim'siz, başsız sonsuz, topos kaygısından uzak, "*yersiz yurtsuz, zerre zerre*" bir ütopya inancı ile ütopist Fourier'den uzaktı. Cyrano'nun, Restif de la Bretonne'un vizyoner ütopyalarını yeğliyordu. Ütopya'yı Einstein'cı fizikte parçalamış birinin, Fourier ile işi neydi? Bir mutluluk ve düzen mimarıydı Fourier: müthiş bir yöntem ve sınıflandırma bilinciyle, dünyaya alternatif bir 'dizayn' önermiş, onu tüm ayrıntısı ile düşlemişti. Bu dizaynı Calvino "*Düşler ve Sibernetik*" te yeniden çizdi: "*... benim gözümde Armoni dev bir arzu düzenleyicisi; Falange ise, Seri'lerin kusursuzca bir araya gelebilmeleri için gerekli hesapları yapan ve hiç durmadan çalışan bir bilgisayar; tüm yaşamı boyunca Fourier, delikli kartlar üzerinde insan soyunun mutluluğunu gerçekleştirecek verileri bulmak için uğraştı.*"(2)

'Falange'a yüklenen ana veri 'eros'tu. Fourier'nin, olağanüstü'nün (meraviglioso) aritmetikle müttefikliği olarak tanımladığı düşü Calvino, 'eros'un sibernetik'le müttefikliğinde yeniden kurdu: kültürün erotizasyonu, göstergelerle anlamlar, mitlerle ideler arasında oynanan, düşsel mutluluk bahçelerinin kapılarını aralayabilecek bir oyundu onun gözünde. Yazın'ın can damarlarıydı bu oyun. Michel Tournier'nin Vendredi adlı kitabında Robinson'un

---

(1) C. Ossola, L'invisibile e il suo 'dove', a.g.e., sy.232.
(2) I. Calvino, Una pietra sopra, a.g.e., sy.236.

ada ile yaşadığı o müthiş cinselliği anlatıyor, bilinçli ya da bilinçsiz, *Görünmez Kentler*'in hammaddesini açıklıyordu. Ancak bu çiftleşme oyunu, olabildiğince uzaktan oynanmalı, düş ile gerçek arasındaki karşıtlık ve uzlaşmazlık asla yumuşamamalıydı. *Görünmez Kentler*'i 'gösterge' ve 'anlam'lara, 'mit'lere ve 'gökyüzü'ne (idea'lara) bağlayan cinsellik düğümleri atılıyordu. Eros ve Sibernetik, tüm uzlaşmazlığı ve karşıtlığı içinde *Görünmez Kentler*'in 'dişil' adlarını 'sayı'larla şifreleyerek, evreni düzenlemeyi lojik–fantastik bir makineye bırakacaktı: "*özgür bir ussal düş makinesinin gerekliliğine, (...) kendimizi tanımlayabileceğimiz şeyleri çoğalttığı, başka değerler ve başka ilişkilere göre tüm ayrıntılarıyla düşünülmüş bir dünyanın mutlak farklılığını, kısaca, 'kent' olarak 'ütopya'yı kısır seçimlerimiz arasına kattığı ölçüde (tabii katıyorsa) inanıyorum. Bizim kuramayacağımız, ama, onu düşleme, her şeyiyle düşünme yetimizde kendisini parça parça kuracak, kendisinde yaşamamızı değil bizde yaşamayı talep ederek bizi, ütopyadan farklı, iyi ya da kötü, bugün yaşanabilir tüm kentlerin ötesinde, yeni içsel ve dışsal şartlanmaların karşılaşmasından doğan 'üçüncü bir kent'in olası sakinleri yapacak bir kent bu.*"(1)

Bu satırları aldığım 'Quale utopia?' başlıklı yazı, Fourier adının arkasında 'Kent olarak ütopya'yı irdeler. 'Altın çağa' dönüş bir kaçış mı? Deli miydi Fourier? Calvino 10 yıl önce de Ariosto ile hesaplaşmıştı: "*Ariosta'ya duyduğum sevgi kaçış mı? (...) Kaçış,*" diyordu Calvino, "*... esaretimizi her cümlesiyle biraz daha perçinleyen dünya tanımlarının tutsaklığından kaçmak, arzu dünyamıza biçim verecek başka bir kodlama, başka bir sözdizim, başka bir söz dağarcığı önermektir.*"(2)

Görünmez Kentler'de bunları önerdi Calvino. Karşıtlıkların erotik cazibesini koruyarak, evreni, zengin kesimli bir kristalin içine kapattı. Qfwfq'in 'kristal-dünya' düşü, *Görünmez Kentler*'de bir 'yapı'ya dönüşüyor, evreni 'başka türlü' okutacak yeni bir alfabe hazırlıyordu. Qwfwq şöyle demişti: "*Kristal bir dünya düşledim o zamanlar: düşlemedim, gördüm onu, yıkılmaz, buzul bir quartz ilkbaharıydı. (...) Tümel bir kristal düşlüyordum, hiçbir şeyi dışarı sızdırmayan bir topaz-dünya.*"(3)

---

(1) I. Calvino, Quale utopia?, Almanacco Bompiani, Milano, 1974, sy.4.
(2) I. Calvino, Una pietra sopra, a.g.e., sy.57; sy.252.
(3) I. Calvino, T con zero, I cristalli'den, Böl.I, Torino, Einaudi, 1967, sy.73

Kesin çizgileri ve üçgen yüzeyleriyle 'paramparça bir bütün'ün simgesi kristal, "*titiz kesimi ve ışığı yansıtma yeteneğiyle, (...) ve en ilkel biyolojik varlıkları andıran doğma ve büyüme özellikleriyle, mineral dünya ile canlı madde arasında bir köprü*" olabilirdi(1). Calvino, Venedik'i 55 kente bölüştürerek, kristalin yüzeylerine dağıttı, bir ayna ve ışık oyununda birini diğerinde yansıtıp kırarak olasılıkları çoğalttı. *Görünmez Kentler*, "*çoğul ve bölük pörçük bir zaman duygusunu, 'dizgelerin dizgesi' bir dünya imgesini, sonsuzluk ve boşluğun verdiği baş dönmesini duyurmak için*"(2) kendisine bir biçim seçmişti: 'kristal bir labirent'.

Labirente kafa tutma'nın tek yolu yeni bir labirent kurmaktı. Labirenti, pitoresk nedenlerle değil, bir gereklilik olduğu için seçmişti Borges. Onun için Labirent, bir hayret ve şaşkınlık simgesiydi. Evrenin ve felsefenin, zaman ve kimlik sorununun karşısında yatışmaz bir şaşkınlık duymuştu her zaman. Ancak bu sorun çözülmemeliydi, çünkü o zaman "*her şeye sahip olur, her şeyi bilebilirdik, ve de yazık olurdu, zira metafizik ve felsefenin ölümü olurdu bu.*"(3)

Calvino, labirentin işlevini, Hans Magnus Enzensberger'in Çağdaş Yazında Topolojik Yapılar adlı kitabından ödünç aldığı birkaç satırla açıklar: "*Doğru yolu bulmak için kaybolmak gerekir. (...) Labirent, içine giren kaybolsun ve dolaşsın diye yapılır. Ama labirent, o aynı kişiye, yeni bir plan çizmesi ve labirentin gücünü yok etmesi için bir başkaldırıyı da düşündürür. Bunu başardığı takdirde insan labirenti yıkacaktır; onu boydan boya geçen biri için labirent yoktur.*"(4)

Calvino için yeni bir labirentin tek güvenilir mimarı yazındır. İnsan-Hakikat arasındaki ilişkiyi onarılmaz bir biçimde bozan, sözcükleri anonim, anlamları kaypak kılarak anlatım araçlarının tüm sivriliklerini törpüleyen, sözcüklerin yeni durumlarla karşılaşmasından doğabilecek kıvılcımları söndüren tüketim ideolojisi ve kitle kültürünün, –dili de etkisi altına alan bu salgın hastalığın– yayılmasına karşı koyacak "*antikorları*" ancak yazının (belki de yalnız yazının) üretebileceğini savundu her zaman. Hastalığın, imgelere, insanların yaşamına, ulusların tarihine bulaştığından, bütün tarihleri, biçim'siz, rastlantısal, karmaşık, başsız ve sonsuz kıldığından yakınıyordu: "*Benim rahatsızlığımın nedeni, yaşamda varlığına inan-*

---

(1) I. Calvino, Lezioni americane, a.g.e., sy.69.
(2) C. Milanini, L'utopia discontinua, Saggio su Italo Calvino, Milano, Garzanti, 1990, sy.127.
(3) A. Camp, L'auteur et son double, Magazine Litteraire, No.259, sy.31.
(4) I. Calvino, Una pietra sopra, a.g.e., sy.179.

dığım 'biçim'in yitmesi; bu kaybın karşısına, algılayabildiğim tek savunuyu koymaya çalışıyorum: bir yazın idea'sı."(1)

Tarihin ve Mekânın dışında bir yazındır bu: Borges'in seçtiği çıkış noktasını, yani 'tarihçilerin zamanını, coğrafyacıların mekânını sondan başa katetmeyi' seçen, ve Queneau'nun 'evrendoğum'unda (cosmogonia'da) 'basit dünyaların matematiksel modelleri' ile tarih öncesine yönelen bir yazın. Butor'un, dünyanın ortasına açtığı olaybilimsel (fenomenologica) labirentin, Gadda'nın spiral dil labirentinin, Borges'in içinden çıkılmaz kültürel imgeler labirentinin bir sentezi.

Borges'in özel yeri vardır Calvino'da: "*Yazın dünyasında kristalin görkemli geometrisine ve tümdengelimsel düşüncenin soyutluğuna karşılık gelen yapıtlar yaratarak, Valery'nin ingelemde ve dilde 'sağınlık'ı hedefleyen estetik idealini tam anlamıyla kimin gerçekleştirdiğini söylemem gerekse, hiç tereddütsüz Borges derim.*"(2)

Peki neden Borges? Çünkü onun her metni, evrenin bir modeli ya da evrenin bir simgesini içerir: sonsuzluğu, çoğulluğu, şimdiyi ya da dönüşümlü zamanı. Marco Polo'nun 'düşünceyle gidip gördüğü' kentleri anlatan her kısa metin de evrenin bir simgesi ya da bir modelidir. Bu micro modeller, **anılar, arzular, göstergeler, takas** ve **gözler**le, **adlar, ölüler** ve **gökyüzü**yle kurdukları ilişkide, **incelik, süreklilik** ve **gizlilik** kazanıp tam beş kez çoğalarak, kristalin güven mimarisinde bir bütünlük ararlar. *Görünmez Kentler* sonsuzlukta, çoğullukta ve tarihsiz bir Zaman'da yaşanan bir kimlik krizidir.

Kristal geometrisinde aranan bu 'çokparçalı bütünlük' Valery'i anımsatır: "*Phenomène Total dediğim şeyi, ilişkilerin, koşulların, olasılıkların ve olmazlıkların tümünü aradım, arıyorum, arayacağım.*"(3) Calvino da bütünlüğe buna benzer bir tanım getirir: "*Bugün, gizilgüçlü, sanısal (congetturale), çoğul olmayan bir bütünlükten söz edilemez artık.*"(4)

Bu tanımı kuran üç sıfat da, evrenin gizli şifresini zorlamada, yazını üçlü bir ekip çalışmasına çağıran örtük bir mesajla yüklüdür. Felsefe, yazın ve bilimden oluşan bir 'menage a trois' önerir Calvino. Bu paramparça ve gizilgüçlü bütünlüğe, karşıtlıkların sivriltilmesi, bilinen her şeye yeni sorular sorularak her şeyin krize sokul-

---

(1) I. Calvino, Lezioni americane, a.g.e., sy.59.
(2) I. Calvino, Lezioni americane, a.g.e., sy.155.
(3) aynı yer.
(4) aynı yer.

ması ve gerçeğin çarpıtılması ile ulaşılabilir ancak. Bu soruları felsefe sormalıdır. Şöyle der Calvino: "*Yazın ve Felsefe arasındaki karşıtlık çözülmemeli; ancak her an sürekli, her an yeni görülürse, sözcüklerin canlılığını yitirerek üzerimize bir buz kütlesi gibi kapanmasını önleyecektir.*"(1) 'Conte philosophique', 'conte fantastique' ve 'gothic novel'in, bilinçaltına musallat olan vizyonları zincirden boşalırcasına ortaya döktüğünü, felsefe ile yazın arasındaki yeni ilişkiyi Lewis Carroll'a borçlu olduğumuzu, bu ilişkinin, imgeleme bir dürtü olarak felsefenin tadını çıkaran Queneau, Borges, Arno Schmidt gibi ustalar doğurduğunu anlatır Calvino. Felsefe ile edebiyat arasında sonsuz bir savaşın sürmesinden yanadır: "*Felsefeye karşı açılacak gerçek bir savaş, berrak bir alaycılıkla, aklın acılarıyla (biz İtalyanlar hemen Leopardi'nin diyaloglarını düşünürüz), veya zekânın saydamlığı ile (Fransızlar hemen Monsieur Teste'i düşünürler) ya da aydınlık evlerimize musallat olan hayaletler yaşama çağırılarak sürdürülebilir.*"(2)

Bu savaşın açığa çıkardığı yoğun enerji tüm ağırlığından kurtulmalı, Valery'nin deyişiyle "*kuş gibi hafif olmalıdır, tüy gibi değil*". Hafiflik'i, kesinlik ve belirlilik'e yaklaştırıp, belirsizlik ve rastlantı'dan uzaklaştıracak araç bilimdir Calvino için. Bilimin göğüslediği sorunların da yazınınkilerden pek farklı olmadığının farkındadır aslında: "*... bilim de yazın gibi, sürekli krize sokulan dünya modelleri yaratır, tümevarımsal ve tümdengelimsel yöntemleri dönüşümlü olarak kullanır, ancak kendi diline ilişkin yerleşik kuralları nesnel yasalar olarak almamaya özen göstermelidir. Bu durumla baş edebilecek bir kültür, bilim, felsefe ve yazın sorunsallarının sırayla ve sürekli olarak krize girmesiyle yaratılabilir ancak*".(3)

"*... Tüm ağırlığı ile dünyanın ve insanlığın üstüne çökmüş*" ağır, şiş ve gergin imparatorluğuna baktıkça, rüyalarında "*uçurtmalar kadar hafif kentler, dantel gibi delikli kentler, cibinlikler gibi saydam kentler, yaprak damarlarına, el çizgilerine benzer nervür kentler*" gören Kubilay'ın bu "*hafiflikte büyüme*" özlemi, Calvino'nun bilime yönelmesi ile gerçekleşir; çünkü onun aradığı "*hafiflik imgeleri, şimdinin ve geleceğin düşleri gibi yokolup gitmemelidir. (...) Yazının sınırsız evreninde, dünya imgemizi değiştirebilecek yepyeni veya çok eski yollar, üslup ve biçimler açılır önümüzde her zaman... Ama ya-*

---

(1) I. Calvino, Una pietra sopra, a.g.e., sy.151.
(2) I. Calvino, Una pietra sopra, a.g.e., sy.155.
(3) I. Calvino, Una pietra sopra, a.g.e., sy.154.

zın, sadece düş peşinde koşmadığım güvencesini bana veremiyorsa, o zaman, içinde her türlü ağırlığın çözülüp dağıldığı hayallerime gerekli besini bilimde ararım."(1) Hardware-Software ilişkisinde, ağır dünyayı, elektronik 'bit'lerin yönettiğini söyleyerek, 'hafiflik' kavramının 2000'li yıllar için taşıdığı önemi vurgular Calvino. Görünmez Kentler'de bu kavramla, sayıların hafifliğinde nesneleri tüm ağırlığından kurtaracak, "*kuş gibi hafif*" bir kitap yazacaktır.

Görünmez Kentler'in Calvino yazını içindeki yeri ve önemini belirtmek için sözü Calvino'ya bırakmak daha doğru olacak: "*... geometrik ussallık ile, kördüğüm bir yün yumağına benzeyen insan varoluşunun giriftliği arasındaki gerilimi anlatmada bana en büyük olasılıkları tanıyan simge...kent oldu. En çok şey söylediğime inandığım kitabım bugün hâlâ Görünmez Kentler; çünkü bütün düşüncelerimi, yaşanmışlıklarımı, sanılarımı bir tek simge üzerinde yoğunlaştırabildim; çünkü her kısa metnin bir neden-sonuç ilişkisi veya bir hiyerarşi izlemeksizin, süreklilik içinde bir diğerine yakın olduğu bir ağ örgüsünde, çoğul yollar bulunabilecek ve çoğul sonuçlar çıkarabilecek zengin kesimli bir kristal yarattım.*"(2)

Michel Butor, "*Bence bir romanın simgeselliği, romanın, yaşadığımız gerçekten yararlanarak tanımladığı şeyi yaratan ilişkilerin bütünüdür*" demişti.(3) Calvino yazınının en güçlü metaforu haline gelen kent, Calvino için "*..dev bir kolektif anı, başvurulacak bir ansiklopedi*" gibi daima yanıbaşımızdadır.(4)

Northrop Frye ise şöyle diyordu: "*Kent, adı Kudüs olsun ya da olmasın, apokaliptik düzlemde tek bir yapı veya tapınaktan farklı değil. İncil'in diliyle söylersek kent, bireylerin 'canlı taşlar' gibi yaşadığı 'çok bölümlü bir ev'...; anagojik düzlemde insan, doğayı içinde yaşatma yetisine sahip; insanın kent ve bahçeleri dünya kabuğundaki küçük sıyrıklardır yalnızca, ama insan evreninin biçimleridir.*"(5)

Claudio Varese bu kenti Calvino kentlerine yaklaştırıyor ama nedenini söylemiyor. Bana, *Görünmez Kentler*'in VI. bölümünü kapatan satırları çağrıştırdı: "*Bazen de duman, dudaklardan çıkar çıkmaz, yoğun ve ağır, havada asılı öylece duruyor, başka bir görüntüyü, metropollerin çatıları üzerinde biriken buhar ve kokuları,*

---

(1) I. Calvino, Lezioni americane, a.g.e., sy.9.
(2) I. Calvino, Lezioni americane, a.g.e., sy.70.
(3) Ph. Daros, Les parcours d'écriture, Magazine Littèraire, No.274, sy.32.
(4) C. Marabini, Le città dei poeti, Torino, SEI, 1976, sy.182.
(5) C. Varese, Dialogo sulle città invisibili, Studi Novecenteschi, No.4, 1973, sy.126.

dağılmayan opak bir dumanı, ziftli yolların üzerinde biriken zehirli havayı getiriyordu sahneye. Ne belleğin değişken sisleri, ne de kuru saydamlığıydı bu, kentlerin üstünü bir kabuk gibi saran yanmış yaşamların yanık kalıntıları, artık akmayan bir yaşam cevheriyle şişen sünger, hareketin hayaliyle taşlaşmış yaşamları donduran geçmişin, şimdinin ve geleceğin tıkanmışlığıydı". Yolculuğun sonunda gerçekten bunları mu buldu Marco? Kubilay öyle inanıyordu. Çünkü "*anlatıya yön veren ses değil, kulaktır.*"

Kulağa ise anılar ve arzular yön verir. Metropollerin mozayik yapısında bizi mitik kentlere keşiş kılan ve anılarımızı biçimlendiren arzular hiç bırakmaz yakamızı. Kentleri ya onlar kurar, ya da korkular. Kentler de, düşler gibi, "*bir arzuyu, ya da arzunun tersi, bir korkuyu gizleyen resimli bir bilmecedir.*"

İnsan-kent arasındaki bu göreli ilişkiyi bir ölüm-kalım bilmecesinde damıtır Calvino:

"*– Ne arzularım ne de korkularım var benim, dedi Han, – benim düşlerimi ya düşünce ya da rastlantılar oluşturur.*

– Kentler de, düşüncenin ya da rastlantının eseri olduklarını sanırlar hep, ama ne biri ne öteki ayakta tutmaya yeter onların surlarını. Bir kentte hayran kaldığın şey, onun yedi ya da yetmiş yedi harikası değil, senin ona sorduğun bir soruya verdiği yanıttır.

– Ya da onun sana sorduğu, ve ille de yanıtlamanı beklediği sorudur, tıpkı Thebai'nin Sfenks'in ağzından sorduğu soru gibi."

*

Ben *Görünmez Kentler*'e, parça parça karşıma dikilen Venedik'e ne sordum bilmiyorum. "*Yıkılmaya mahkum surların ve kulelerin*" gerisinde, Kubilay'ın 'biçim'siz başsız, sonsuz imparatorluğunun incecik "*telkâri çizgilerini*" seçebildim mi, emin değilim. Bitmez tükenmez satranç partilerinde, önüme açtığı atlaslarda o bana ne sordu anımsamıyorum. Bildiğim tek şey her kentin sonsuzluğa açılan ağzında duyduğum haz ve baş dönmesi. Bir de şu var: paramparça bir metnin içinde kaybolmadım, dağılmadım, bütünlüğümü yitirmedim.

Zaman zaman "*bu kitabın belkemiği eğik yazılar*" diye düşünmedim değil: yalnız onları okudum, olmadı. Farkında olmadan aynayı, ışığı kaldırmıştım ortadan; ne resim kalmıştı, ne de puzzle kutusu. "*Bir gün ben de giderim aynanın dibine / kendim gibi*" diyemediğimi fark ettim. Kristalin doğurgan yüzeyleri kısırlaşmış, karşıtlığın kavrayıcı büyüsü bozulmuştu.

Calvino'nun "*çoğulluk dersini*"ni yeniden okudum. Özel yapıların değişmezlik ve düzen imgesi 'kristal' ile, bitmek tükenmez bir içsel dinamizme karşın, global bir dışsal biçimin süreklilik imgesi 'alev'in birlikteliğini öneriyordu: "*Kristal ve Alev, insanın gözünü ayıramadığı iki kusursuz güzellik, zaman içinde iki büyüme biçimi (...) iki ahlak simgesi, olayların, fikirlerin üslup ve duyguların sınıflandırılabileceği iki ulam, iki mutlak değerdi.*"(1)

Kristal-Alev çifti Bachelard'ı düşündürdü bana: "*Gerçek imgeler, imgelemin imgeleri ya tekil, ya da çifttir. İki imge birleşir, birbirlerinde erirler. Özdeksel imgelem ülkesinde, her birleşme bir çiftleşmedir ve üçlü çiftleşme diye bir şey yoktur.*"(2)

Görünmez Kentler'i tekrar okudum: eğik yazıların kundakladığı bir yangının alevi, kristalin şaşmaz, çetin yapısına yazılmış düz yazıları yalayarak durallığın direncini sınıyordu. Jung'u düşündüm ister istemez; Herakleitos'dan aktardığı bir cümleyi anımsadım: "*Yaşam, sürekli yanan bir ateş gibi düşünüldü her zaman*". **Görünmez Kentler insan varoluşuna bir biçim önerisiydi**, doğru bir seçim için sorulan tüm sorular cevapsız da kalsa, bir kabalistin dingin ve bilge ellerinde, sayıların eski biliminde yanyana gelerek, öznel bir varsayımlar ormanına dönüşüyordu.

Borges'in dediğine göre İbrani kabalistler, her mümin için ayrı bir İncil yazıldığını söylemişler. Kuşkusuz *Görünmez Kentler* için de geçerli bu.

*

Ben *Görünmez Kentler*'de bellekte başlayıp metropollerde biten pusulasız bir yolculuğun güncesini okudum. Tanıyamadığı için imparatorluğuna bir türlü sahip olamayan güç simgesi Kubilay Han'ın hüznüyle, kendisine 'görünmez bir rota' çizen çağdaş bir seyyahın yitmişlik ve hiçlik öyküsü, satranç tahtalarında, atlaslarda sınanan bir kimlik, bir özgürlük arayışıydı.

Polo'nun 'görünmez rotası'nın üstünden koyu, kara bir kalemle geçmek, bu yolculuğa bir anlam yüklemek istedim. Kristali, alevi ve sayıları okudum: yolcu elli beş kente uğruyor, yol aldıkça birşeyleri tek tek yitiriyordu. Bu sırayı izledim ve 'on bir duraklı' bir 'yitmişlik rotası' çizdim.

---

(1) I. Calvino, Lezioni americane, a.g.e., sy.70.
(2) G. Bachelard, L'eau et les rêves, Paris, Corti, 1942, sy.130.

Daha önce 'Ti con zero'da söylemişti Calvino: "*İnsan zaman içinde yaşayabilir ama donmuş, dural ve devinimsiz bir geçmişte varolacaktır*":

Yolculuk, mitos ve

anılar

'da başlar. Her ikisi de bütünlük simgesidir. Ancak ne mitos ne de anılar ayrılamaz

arzular

'dan çünkü yaşadığımız dünyaya biçimini veren arzulardır. Despina'ya bakan deveci bir gemi görür, gemici ise bir deve hörgücünün çizgilerine benzetir kenti. Çünkü her kent "*biçimini karşısında durduğu çölden alır.*" Peki amblemler katologu bir dünyayı nasıl tanımlamalı? Nesneler değil mi yaşamımızı biçimlendiren? Bütün dikkatini

göstergeler

'de yoğunlaştırır yolcu, ama hiç güveni yoktur onlara: "*Yalan sözlerle değil, şeylerdedir.*" Peki ya dil? Dile daha da güvenmez. "*aldatmayan dil yoktur.*" Tanımsal araçların yokluğunda

incelir

kentler, tüm nesnelliğinden kurtulur, hafifler, incecik iplerden örülü mimarilere kurulur. Güvensizdir, ancak bu güvensizliği bilmek başlı başına bir güven kaynağıdır: "*Ottavia sakinlerinin boşluğa asılı yaşamları diğer kentlerdekine oranla çok daha güvenli. Herkes biliyor ki ağ daha fazlasını taşımayacak*" Belki de tek iletişim, tek varoluş olanağı

takas

'tır: Eufemia'da mal ve anıları, Cloe'de yaşanmayan bir cinselliği, Eutropia'da yaşamını ve işini takas eder. Ancak her şey ikiye bölünür Takas'la ve de iki sayısında çoğalır: Gerçek ve yansılmadan oluşan Valdrada, aşağısı ve yukarısıyla kâbus ve mutluğu yaşatan Zemrude, "*İmge dağarını bir perspektif içinde çoğaltarak sürüyormuş gibi görünen*" ve "*bir kâğıt parçası gibi birbirinden ayrılamayan, ama birbirine de bakamayan bir ön, bir arka yüzden oluşan Moriana. Ersilia'dan geçerken duvarları yıkılmış, ölü kemiklerinden yoksun* "*terk edilmiş kent kalıntıları*" görür: "*bir biçim arayan karmakarışık ilişkilerin örümcek ağları*"dır takas.

Gözler

geçmişi aramaya koyulur. Adımlar "*gözlerin dışında değil içinde kalan, unutulmuş, silinmiş şeylerin peşindedir artık*". Müthiş bir yitmişlik duygusuyla, dünyayı sahip çıkmak ister. Adem gibi her şeye bir

ad

vermeyi dener. Ancak çoğul ve kaypaktır adlar: hangi ad hangi şeyin adı bilemez. Hangi kent Irene, anlayamaz, önemi de yoktur zaten, çünkü Irene "*ortasında durup bakıldığında başka bir kent*" olacaktır nasılsa; Irene uzaktan bakılan, yaklaşıldığında değişen kentlerin adıdır". Düşlenen Pirra ise ayak basıldığı an değişir. Adı konmuş, "*Pirra, Pirra neyse o olmuştur*" Adelma'ya geçer.

ölüler

kentidir burası: kendi imgesini bulduğu yer. Tereddüte düşer: "*Belki de Adelma ölürken gelinen ve herkesin tanıdığı kişileri yeniden bulduğu bir kent. Demek ben de ölüyüm...*" Eusapia'da canlılar ve ölüler birlikte yaşar: "*Bu ikiz kentte kimler ölü, kimler canlı bunu anlamanın hiçbir yolu yoktur*" artık. Yapımı yıllardır süren Tecla'ya varır: kentin projesi, yıldız dolu bir

gökyüzü

'dür. Gene gökyüzü'ne göre kurulan Perinzia, en titiz hesaplara rağmen bir "*canavarlar kenti*" dir bugün: "*Perinzia'lı gökbilimciler zor bir seçimle yüzyüze: ya tüm hesaplarının yanlış olduğunu ve bulduklari sayıların gökyüzünü betimleyemediğini kabul edecekler, ya da tanrıların düzeninin canavarlar kentine yansıyan düzen olduğunu herkese açıklayacaklar*". Bu bozgunun ardından sürekli

kentlerin o ölümcül labirentine girer yolcu: Pentesilea'dan çıkamayacak, "*bir limbo'dan diğerine*" geçecektir durmadan. Bunun nedenini, Cecilia'da rastladığı keçi çobanı anlatır ona: "*Birbirine karıştı yerler. Artık her yer Cecilia; Eskiden Alçak Adaçayı Merası'ydı burası, eminim. Keçilerim refüjdeki otları tanıyorlar.*" Anılarına ve arzularına sarılır yolcu. Anılarıyla

gizli

kentleri aramaya koyulur, arzularıyla biçim verir onlara. Hüzün kentlerinde dolaşan ve kente "*her saniye, varlığından bile habersiz olduğu mutlu bir kent kazandıran görünmez ipliğin*" ucundan tutar. İyi ve kötü kentlerin bir kördüğüm olduğunu ve her kötüler kentinin içinde "*gizli bir iyiler kenti*"nin saklandığını öğrenir.

Calvino'nun önerdiği 'üçüncü kent'tir bu. Enoch ve Babil'de Yeni Atlantis'i, Güneş Beldesini, Armoni'yi bulabilen yolcu varabilir ancak oraya. "*İlgisiz bir manzaranın ortasında açılan bir aralık, siste yanıveren ışıklar, gidip gelirken rastlaşan iki kişinin arasında geçen bir konuşma yetebilir*" ona; "*oradan yola çıkıp bir bütünün parçalarını, zaman aralıklarının ayırdığı anları, birinin gönderdiği, ama kime ulaştığını bilmediği işaretleri bir araya getirerek kusursuz kenti parça parça*" kurabilir.

Ben Görünmez Kentler'e giderken Marco Polo'nun rotasını izledim. Başka yolcular başka rotalar izleyebilir, ama görecekler ki bütün yollar hep aynı 'bütünlük'te bitecek ve kusursuz kent parça parça kurulacak:

Marco Polo, tek tek her taşıyla bir köprüyü anlatıyor.

– Peki köprüyü taşıyan taş hangisi? – diye sorar Kubilay Han.

– Köprüyü taşıyan şu ya da bu taş değil, taşların oluşturduğu kemerin kavisi –, der Marco.

Kubilay Han sessiz kalır bir süre, düşünür. Sonra ekler:

– Neden taşları anlatıp duruyorsun bana? Beni ilgilendiren tek şey var o da kemer.

Marco cevap verir:– Taşlar yoksa kemer de yoktur.

Işıl Saatçıoğlu
Ardıç, Ağustos 1990

KAYNAKÇA

C. Ossola, *L'Invisibile e il suo 'dove'*, Lettere Italiane, anno XXXIX, no.2, 1987sy. 220-251

I. Calvino, *Una pietra sopra,* Torino, Einaudi 1980

I. Calvino, *Fiabe italiane,* Torino, Einaudi 1980

Magazine *Littéraire, I. Calvino özel sayısı,* No. 274, 1990

Magazine *Littéraire, Jorge Luis Borges özel sayısı,* No.259, 1980

I. Calvino, *Visconte dimezzato,* Torino, Einaudi, 1952

G. Bonura, *Invito alla lettùra di Calvino,* Milano, Mursia, 1987

I. Calvino, *Il midollo del Leone,* Paragone, No.66, 1955

I. Calvino, *Arrabiati,* Le Conferenze dell 'Associazione Culturale Italiana, 1961-2

I. Calvino, *Le Cosmicomiche,* Miluno, Garzanti 1988.

R. Melle, *Lo specchio del viaggiutore di Calvino,* Misure Critiche, Ottobre-Dicembre 1980, sy. 135-148

I. Calvino, *Lezioni americane,* Milano, Garzanti, 1989

G. De Mallac, *Che cosa ha detto veramente Barthes,* Roma, Ubaldini, 1973

I. Calvino, *Quale utopia?.,* Almanacco Bompiani. Milano 1974.

I. Calvino, *Ti con zero,* I cristalli'de Bölüm I, Torino, Einaudi, 1967

C. Milanini, *Utopia discontinua,* Saggio su I. Calvino, Milano, Garzanti 1990

C. Marabini, *Le Città dei poeti,* Torino, SEI, 1976

C. Varese, *Dialogo sulle Citta invisibili,* Studi Novecenteschi, no.4, 1973

G. Bachelard, *L'Eau et les Rêves,* Paris. Corti, 1942

G. Baroni, I.Calvino, *Introduzione e guida allo studio dell'opera calviniana,* Firenze, Le Monnier, 1988

C. Benussi, *Introduzione a Calvino,* Roma, Laterza ed, 1989

F. Bernardini, *I segni nuovi di I. Calvino,* Roma, Laterza ed, 1989

C. Calligaris, *Civiltà Letteraria del '900,* Milano, Mursia Ed, 1985

G. Debenedetti, *Il Romanzo del '900,* Milano, Garzanti, 1971

A. Asor-Rosa, *Calvino dal sogno alla realtà,* 'Mondo Operaio'da Suppl. al no.34, Marzo-Aprile, 1958, sy. 3-11

P. Briganti, *La vocazione combinatoria di Calvino,* Studi e Problemi di critica testuale, Aprile 1982. sy. 199-225

F. Ravazzoli, *Alla ricerca del lettore perduto in le Citta invisibili di Italo Calvino,* Strumenti Critici, Febraio 1978, sy. 99-117

C. Annoni, Italo Calvino, *La resistenza tra realtà e favola,* Vita e Pensiero (Fasc. no.12) Dicembre 1968. sy. 968-975

G. Almansi, *Il mondo binario di Italo Calvino,* Paragone, anno XXII, no.258, 1971, sy 95-110

C. Varese, *Le sfide di Italo Calvino,* La Battana, Anno XXIV, Marzo 1987, sy. 5-13